AF496755

Johann Amos Comenius.

Sein Leben, seine pädagogischen Schriften und seine Bedeutung.

Von

Dr. Th. Kerrl,

Oberlehrer in Hagen i. Westf.

IV. Teil:

Die Bedeutung des Comenius.

Wissenschaftliche Darstellung und Beurteilung seiner Pädagogik.

Halle a. Saale.
Pädagogischer Verlag von Hermann Schroedel.
1906.

Inhalt.

Einleitung.

Im I. Teil ist Comenius der erste Begründer einer wissenschaftlichen Pädagogik genannt worden. Daß ihm diese Ehrenstellung in der Geschichte der wissenschaftlichen Pädagogik gebührt, wird von allen Comenius-Bearbeitern anerkannt. Aber während die einen ihn als den ersten Systematiker der Pädagogik bezeichnen, geht die Meinung der anderen dahin, daß Comenius ein eigentliches pädagogisches System nicht aufgestellt habe; seine Didactica magna sei vielmehr nur eine Art Enzyklopädie von Erziehungs- und Unterrichtsfragen. Diese verschiedene Beurteilung erklärt sich aus der Verschiedenheit des bei der Kritik der comenianischen Pädagogik angewandten Maßstabes. Es kann die Pädagogik des Comenius auf Grund der zu seiner Zeit vorhandenen pädagogischen Verhältnisse und Zustände beurteilt werden, oder man kann die wissenschaftliche Pädagogik in der heute vorhandenen Ausbildung zum Ausgangspunkte der Kritik machen. Beide Beurteilungsweisen sind, jede für sich allein angewandt, einseitig; aber beide sind notwendig, die eine, um zum geschichtlichen Verständnis und damit zur gerechten Würdigung der Pädagogik des Comenius zu gelangen, die andere, um ihr ihre richtige Stellung in der Entwickelung der Geschichte der Pädagogik als Wissenschaft zuweisen zu können und dadurch vor Überschätzung der Verdienste des Comenius bewahrt zu bleiben.

Daß Comenius in der Didactica magna ein System der Pädagogik gegeben hat, welches für seine Zeit höchst bewundernswert ist, hat die Analyse und übersichtliche Gliederung dieses Werkes im III. Teil bereits genügend bewiesen. Ob er auch im anderen Sinne des Wortes ein Systematiker der Pädagogik genannt werden darf, wird sich leicht und

ficher beantworten laffen, wenn einerfeits die wiffenfchaft=
lichen Grundlagen feiner Pädagogik klargeftellt und ander=
feits eine fyftematifche Darftellung feiner Erziehungs= und
Unterrichtsgrundfätze gegeben worden ift. Es wird alfo der
letzte Teil unferer Arbeit, welcher die Bedeutung der Päda=
gogik des Comenius beleuchten foll, folgende Abfchnitte ent=
halten:

A. Die wiffenfchaftliche Grundlage der Pädagogik des
   Comenius.
B. Die fyftematifche Darftellung der comenianifchen
   Pädagogik.
C. Die Beurteilung der Pädagogik des Comenius.

A. Die wissenschaftliche Grundlage der Pädagogik des Comenius.

I. Die theologische Grundlage.

Comenius war Theolog. Als solcher nahm er auch das Recht und die Pflicht für sich in Anspruch, seine Kraft für die Verbesserung des Schul= und Unterrichtswesens einzu= setzen; denn Christus habe zu Petrus, dem Felsen der Kirche, nicht nur gesagt: „Weide meine Schafe!“, sondern auch: „Weide meine Lämmer!“ Auch als er aus äußerer Not und innerem Drange sich fast ausschließlich mit pädagogischen Arbeiten für die Reformation des Schulwesens beschäftigte, verließ ihn nicht das Bewußtsein, daß er als ordinierter Geistlicher seiner Konfession zum Dienste verpflichtet sei. Darum zögerte er auch, als ihn die „Brüder“ 1648 zu ihrem ersten Bischof wählten, diesem Rufe Folge zu leisten. So ist es begreiflich, daß seine Pädagogik einen ausgeprägt christlichen Charakter hat. Daher ist eine Kenntnis der Theologie des Comenius zum Verständnis seiner Pädagogik notwendig. Im folgenden geben wir eine kurze Darstellung derjenigen theologischen Lehren, deren Konsequenzen für seine Pädagogik sich am deutlichsten erkennen lassen[1].

1. Die Lehre von Gott.

a) Die Theologie des Comenius ist diejenige seiner Kon= fession[2]. Die „Brüder“ hatten weder besondere Symbole noch Bekenntnisschriften. Die Bibel genügte ihnen als

---

[1] Eine eingehende Darstellung der Theologie des Comenius siehe in dem Werke v. Criegern, Comenius als Theolog, Leipzig und Heidel= berg 1881!

[2] Vergleiche Comenius I, S. 10, die Lehre der „Brüder!“

Grundlage ihrer Lehre und als Richtschnur ihres Lebens.
Sie legten vor allem Gewicht auf praktisches Christentum
und erblickten in der altevangelischen Zeit ihr Vorbild für
Verfassung und Lehre. Darum fehlte ihnen der Ansporn zu
dogmatischem Ausbau ihrer Glaubenslehre. Diese Züge
finden wir auch in der Theologie des Comenius; sie ist
durchaus biblisch. Gott ist Urgrund und Ziel aller Dinge[1]).
Alles ist eitel; nur in Christi Gemeinschaft ist Ruhe und
Friede zu finden[2]). Die Weisheit Christi zu erlangen, ist das
Eine, was not tut[3]). Das einzig bindende Bekenntnis ist
das Apostolikum[3]). Außer den in ihm enthaltenen Zentral-
dogmen des Christentums findet man bei Comenius weiter
keine Glaubensformeln. Es ist charakteristisch, daß er nicht
einmal in seinen Erörterungen über die Gnadenmittel der
Kirche, über welche zur Zeit des Comenius von Katholiken,
Lutheranern, Zwinglisten und Calvinisten so erbittert ge-
stritten wurde, bestimmte Lehrmeinungen aufgestellt hat[4]).

[Neben dem biblischen Theismus] finden sich aber auch
andere mit der christlichen Grundlage eigentlich nicht verein-
barte Züge. Dahin gehört vor allem eine gewisse pantheistische
Färbung seiner Theologie, die allerdings weniger in seinen
spezifisch theologischen, sondern mehr in seinen philosophischen
Schriften zu finden ist. In der „Physik" wird z. B. Gott
als das bewegende Prinzip gedacht, das in allem Seienden
tätig ist. Der göttliche Geist ist als spiritus naturalis in
der anorganischen Natur wirksam, als spiritus naturalis und
spiritus vitalis (Lebensgeist) in den Pflanzen, als spiritus
naturalis, sp. vitalis und sp. animalis (tierischer Geist) in
den Tieren, und in den Menschen außerdem noch als spiritus mentalis (verständiger Geist). Alle Veränderungen der
unbelebten und belebten Natur sind Äußerungen oder Wir-

---

[1]) Vergl. die Schrift „Centrum securitatis", „Zentrum der Sicherheit". Comenius I, S. 46!

[2]) Siehe Com. I, S. 46—48. „Das Labyrinth der Welt und
des Herzens Paradies"!

[3]) Vergl. Com. I, S. 74. „Unum necessarium"!

[4]) Vergl. v. Criegern, a. a. O. S. 159: „Hinsichtlich der Gnadenmittel bietet seine Lehre uns im Artikel vom heil. Abendmahl etwas
Beachtenswertes, und zwar insofern er keine Lehre über dasselbe
aufstellt".

kungen des göttlichen Geistes, des spiritus mundi [1]. Es
ist klar, daß diese Auffassung, welche eine Immanenz (ein
Innewohnen) Gottes in der Natur zur Voraussetzung hat,
mit dem christlichen theistischen Gottesbegriffe, nach welchem
Gott als selbstbewußte, außerweltliche Persönlichkeit die Welt
erhält und regiert, nicht vereinbar ist. Aus dem Pantheis=
mus des Comenius erklärt sich auch dessen Mystizismus,
den wir in seinen religiösen Erbauungsschriften finden. Auch
sein Glaube an die angeblichen Weissagungen der „Pro=
pheten“ Kotter und Drabik und der Jungfrau Christine
Poniatowsky, die Abfassung der Werke „Lux in tenebris“
und „Lux e tenebris“ und seine chiliastischen Anschauungen
erklären sich zum Teil aus seiner Neigung zum Mystizismus [2].

b) Aus der Theologie des Comenius ergeben sich ganz
bedeutsame pädagogische Konsequenzen. Ist Gott Ur=
grund und Ziel aller Dinge, so folgt daraus, daß auch das
höchste Ziel des Menschen, also auch das höchste Ziel der
Erziehung, außerhalb dieses Lebens im Jenseits liegt [3].
Diesem Ziele, das in der ewigen Seligkeit mit Gott (aeterna
beatitudo cum Deo) besteht, sind alle menschlichen und
irdischen Ziele unterzuordnen [4]. Durch diese Bestimmung
erhält die ganze Pädagogik des Comenius einen ausgeprägt
christlichen Charakter. Dieser zeigt sich darin, daß nicht nur
der Religionsunterricht der Mittelpunkt des ganzen Unter=
richts, die Erzielung der Frömmigkeit die Krone der Er=
ziehung sein soll, sondern auch für die Behandlung aller
Unterrichtsfächer soll der religiöse Gesichtspunkt maßgebend
sein. Mit anderen Worten: Comenius kennt keine andere
als eine christliche Erziehung, keine anderen als christliche
Schulen [5]. Wenn er ferner auf praktisches Christentum
mehr Wert legt als auf Ausbildung der Dogmen, so ergibt
sich daraus als Konsequenz für den Religionsunterricht, daß
dieser als vornehmste Aufgabe anzusehen hat, Christen zu

---

[1] Vergl. Comenius II, S. 7 u. 8 und S. 11!
[2] Vergl. Comenius I, S. 72 u. 73!
[3] Did. magna Kap. II.
[4] Did. magna Kap. II.
[5] Siehe weiter unten S. 75—77: „Comenius als Begründer
eines christlichen Erziehungssystems“! Vergl. Did. magna, XXIV!

erziehen, die ihre fromme Gesinnung durch die Tat beweisen. „Praktische, nicht theoretische Christen zu bilden, darauf muß man von vornherein sein Absehen richten, wenn man wahrhafte Christen haben will. Die Religion ist etwas Lebendiges, nicht ein Abbild; sie muß also ihre Lebenskraft durch Tätigkeit an den Tag legen"[1].

Ebenso wichtig sind die pädagogischen Folgerungen, die aus dem Pantheismus des Comenius abzuleiten sind. Als Pantheist war Comenius Mystiker[2]. Das Wesen der Frömmigkeit besteht ihm darum in der Vereinigung der Seele mit Gott. Der evangelische Gedanke von Schuld und Sühne tritt dagegen sehr zurück[3]. Hieraus erklärt sich, daß er die Erziehung wahrer Herzensfrömmigkeit so stark betont. Sie ist „jene innere Verehrung, in welcher der Geist des Menschen sich mit der höchsten Gottheit verknüpft und vereinigt"[4].

Von besonderer Bedeutung ist auch noch die auf den Pantheismus sich gründende sog. synkritische Methode, d. i. die Ableitung von Erziehungs- und Unterrichtsregeln aus der objektiven Natur. Ist Gott das Urbild, die Natur das Abbild, die Kunst das Gegenbild, und sind alle drei eins[5], so kann die Erziehungskunst feste, sichere Regeln gewinnen, wenn sie die in der Natur sich zeigenden Gesetze, welche ja Wirkung des in allem Seienden tätigen göttlichen Geistes, des spiritus mundi sind, beachtet[6].

2. Die Lehre vom Menschen[7].

a) Der Mensch ist das Ebenbild Gottes, das vollkommenste der Geschöpfe[8]. Nur in Gott findet der Mensch Ruhe und Sicherheit im irdischen Elende. Das Zentrum

---

[1] Did. magna XXIV, 22.
[2] Vergl. aus der Kirchengeschichte die Tatsache, daß die frommen Mystiker vielfach Pantheisten waren oder dieser Richtung nicht fern standen!
[3] Vergl. in dieser Beziehung Luther und Comenius!
[4] Did. magna IV, 6.
[5] Prodromus pansophiae. Abschn. 75. Comenius II, S. 81.
[6] Die Beurteilung der synkritischen Methode siehe unten S. 90 f.!
[7] Die psychologische Lehre vom Menschen siehe unten S. 23—34!
[8] Did. magna I, 2.

aber der göttlichen Barmherzigkeit ist Christus, zu dem man durch den Glauben und tugendhaftes Leben gelangt[1]). Die christliche Vollkommenheit besteht in der vollen Liebe des Menschen zu Gott, im willigen Sichergeben in den Willen des Allmächtigen und in beständiger Beschäftigung mit ihm[2]). „Wir suchen Gott (mit dem Geiste), indem wir die Spuren seiner Gottheit in allem Geschaffenen wahrnehmen. Wir folgen Gott (mit dem Willen), indem wir uns in allem ganz seinem Willen überlassen, sowohl im Tun als im Dulden alles dessen, was ihm wohlgefällt. Wir freuen uns an Gott (mit der Freude des Gewissens), indem wir in seiner Liebe und Gunst solche Ruhe und Befriedigung finden, daß wir im Himmel und auf Erden nichts mehr wünschen als Gott selbst, nichts Lieblicheres finden als die Erkenntnis Gottes, nichts Süßeres kennen als seinen Ruhm, so daß unser Herz in seiner Liebe aufgeht"[3]).

Im Denken, Wollen und Handeln ist der Mensch ein Abbild Gottes. Aber die höchste unter den Geistesgaben des Menschen ist der freie Wille. Er ist der König der menschlichen Handlungen; doch hört er seinen innersten Rat= geber, die Vernunft, bevor er bestimmt, was geschehen soll[4]). Er ist die innere Hand der Seele, welche das erkannte Gute zu ergreifen und sich anzueignen begehrt[5]). Zwar ist zuzu= geben, daß das natürliche Verlangen nach Gott als nach dem höchsten Gute durch den Sündenfall verdorben ist: aber es ist schimpflich und ruchlos und ein offenbares Zeichen der Undankbarkeit, daß wir immer auf die Verderbnis schelten, von der Wiedergeburt aber nichts wissen wollen. Vielmehr ist es für den Menschen natürlicher und durch die Gnade des heiligen Geistes leichter, weise, rechtschaffen, heilig zu werden, als daß die hinzukommende Verkehrtheit den Fort= schritt verhindern könne; denn jede Sache kehrt leicht zu ihrer Natur zurück[6]).

[1]) Vergl. Comenius I, S. 46. „Centrum securitatis"!
[2]) Comenius I, S. 46. „Von der christlichen Vollkommenheit".
[3]) Did. magna XXIV, 3.
[4]) Ausgang aus den Schul=Labyrinthen, Absch. 40.
[5]) Ausgang aus den Schul=Labyrinthen, Absch. 40.
[6]) Did. magna VI, 21—25.

Comenius stellt sich also in der Frage der Willensfreiheit auf die Seite des Indeterminismus. Hinsichtlich der Lehre von der Erbsünde steht er auf pelagianischem, bezw. semipelagianischem Standpunkte. Er leugnet zwar die Erbsünde und deren Wirkungen nicht; aber um sein pädagogisches Prinzip: Entwickelung der im Menschen vorhandenen Kräfte[1], durchführen zu können, sucht er die kirchliche Lehre von der Erbsünde, welche jedem humanistischen Erziehungssystem die größten Schwierigkeiten bereitet, möglichst abzuschwächen. Darum betont er die dem Menschen gebliebene Empfänglichkeit für die Wahrheit, für das Gute und das Göttliche; darum lehrt er unbeschränkte menschliche Willensfreiheit, „die er für seine Weltverbesserungspläne notwendig braucht", daher anderseits auch die „Verachtung der Welt und die Sehnsucht, sich gänzlich von ihr zurückziehen zu können, ohne das rechte Bewußtsein des eigenen Verderbens"[2].

b) Für die Pädagogik des Comenius ist aus der Anthropologie am wichtigsten seine Lehre von der Natur des Menschen. Sie ist in zweierlei Hinsicht von Bedeutung. Einmal gestattete ihm seine pelagianische Auffassung, ein humanistisches Prinzip in seine Pädagogik zu verweben. Denn ist der Mensch von Natur gut, oder ist seine Kraft zum Guten nur geschwächt, liegen die Samen der Tugend und Frömmigkeit in der menschlichen Natur, so folgt daraus, daß man nur diese Anlagen und Fähigkeiten des Menschen zu entwickeln hat, um das Ziel der Erziehung zu erreichen[3]. Da ferner jedes Ding leicht zu seiner ursprünglichen Natur zurückkehrt, so ergibt sich, daß ein naturgemäßer Unterricht nichts Hartes, Gewaltsames an sich haben kann und darf: vielmehr gilt das Wort: Omnia sponte fluant. absit violentia rebus![4]

---

[1] Did. magna, V u. VI; Comenius III, S. 20—25.

[2] v. Criegern, a. a. O. S. 113.

[3] Vergl. die ähnliche Stellung Rousseaus und Pestalozzis und anderseits die Forderung Franckes, daß vor allem der natürliche Eigenwille des Kindes zu brechen sei!

[4] Jegliches fließe von selbst; fern bleibe den Dingen Gewalttat! — Weiter unten (S. 89—90) werden wir auf die Schwierigkeit, das humanistische mit dem scholastischen Prinzip zu vereinen, zurückkommen.

II. Die philosophische Grundlage.

1. Die allgemeine philosophische Grundlage.

Das Bestreben, seiner Pädagogik eine philosophische Grundlage als sicheres Fundament zu geben und ihr dadurch einen systematischen Charakter aufzuprägen, führte Comenius zu eindringendem Studium der Philosophie. Allerdings ist es ihm nicht gelungen, sich in der Geschichte der Philosophie eine beachtenswerte Stellung zu erringen[1]. Er hat hier ebensowenig bahnbrechend gewirkt wie auf dem Gebiete der Theologie. Wohl mangelte es ihm nicht an selbständiger Erfassung und Durchdringung der philosophischen Probleme; dennoch gehört sein philosophisches Hauptwerk, die „Physik", nicht zu den klassischen Erzeugnissen der philosophischen Literatur, obwohl es nach Kvacsalas Urteil eine anerkennenswerte Leistung war und für die damalige Zeit die Aufgabe gelöst hat, den Realismus mit der neueren Scholastik zu versöhnen. Die mangelnde philosophische Bedeutung des Comenius erklärt sich aus seinem Eklektizismus[2]. Ein wahrhaft einheitliches System, ein widerspruchsloses streng logisch aufgebautes Lehrgebäude finden wir bei Comenius nicht, ja nicht einmal eine einheitlich geschlossene Weltanschauung. Man vergleiche z. B. seinen konfessionellen Standpunkt mit seinen Menschheitsideen, seinen Pantheismus mit seinem Theismus, seinen Rationalismus mit seinem Idealismus, seinen Realismus und Utilitarismus mit seinem Humanismus, lauter Gegensätze, welche er nicht miteinander zu versöhnen imstande gewesen ist. Sehen wir von Unwesentlichem ab, so lassen sich in seiner eklektischen Philosophie drei Richtungen nachweisen, nämlich die scholastische, die humanistische und die realistische, und zwar überwiegt die letztere die beiden ersteren[3].

---

[1] Vergl. Comenius I, S. 80!

[2] Eklektizismus nennt man in der Philosophie die Richtung, welche sich bestrebt, aus verschiedenen philosophischen Systemen die Wahrheitsmomente herauszuheben und zu einem neuen System zu vereinen.

[3] Vergl. Comenius I, S. 13 ff.: „Die philosophischen Richtungen zur Zeit des Comenius!"

a) Die scholastischen Elemente in der Philo=
sophie des Comenius.

Über das Wesen der Scholastik und des Comenius
Stellung zu ihr ist im I. Teil[1]) bereits das Wichtigste an=
gegeben worden. Dort wurde u. a. hervorgehoben, daß
Comenius, obgleich er die scholastische Dialektik bekämpfte,
dennoch selbst im Scholastizismus hängen blieb. Ähnlich
erging es ja auch dem großen Realisten Bacö. Es war
eben nicht möglich, sich sogleich der scholastischen Einwirkung,
die jahrhundertelang die Geister beherrscht hatte, zu ent=
ziehen[2]). Nur einige Sätze seien mitgeteilt, welche den
scholastischen Standpunkt des Comenius deutlich kennzeichnen.
Ein scholastisches Element haben wir z. B. in der Er=
kenntnistheorie des Comenius. Die Quellen der Erkennt=
nis sind Sinneswahrnehmung, Vernunft und heilige Schrift.
Diese drei müssen sich gegenseitig ergänzen; denn eine allein
gibt nicht die ganze Wahrheit. Auch die heilige Schrift ist
zur Philosophie heranzuziehen. Ohne göttliche Offenbarung
ist die Philosophie verstümmelt. Theologie und Philosophie
sind daher nicht zu trennen, sondern beide gehören aufs
engste zusammen[3]). Besonders bei schwierigen Stoffen ist
das Ansehen der Bibel als die Bezeugung aus dem Munde
Gottes beizufügen[4]). Darum hat man den Christen die
heilige Schrift zur vertrauten Begleiterin zu machen, ihnen
einen Schlüssel zu den Geheimnissen der Natur und Schrift
zu geben und sie zu veranlassen, von den Bestrebungen
dieses Lebens zu dem Studium des ewigen Lebens über=
zugehen[5]). Es gibt also keine wahre Philosophie als die
christliche. Diese kann keinen sicherern Ausgangspunkt, keine
festere Grundlage nehmen, als die von Gott selbst in der

---

1) Comenius I, S. 14.

2) Etwas Ähnliches bemerken wir auch bei den Reformatoren und
Humanisten. Sie bedienten sich trotz ihres Gegensatzes zur Scholastik
im wesentlichen der scholastischen Methode, so daß man die besonders
durch Melanchthon eingeleitete wissenschaftliche Periode die Neu=Scho=
lastik zu nennen pflegt.

3) „Physik“, herausgegeben von J. Reber, S. 17 ff. Come=
nius II, S. 5.

4) Vorläufer der Pansophie, Abschn. 92. Comenius II, S. 19.

5) Dilucidatio, Abschn. 7. Comenius II, S. 21.

Genesis dargeboten ist. Den Versuch einer Naturphilosophie auf dieser biblischen Grundlage bietet Comenius in seiner „Physik" [1].

Die Bedeutung der Scholastik für die Pädagogik des Comenius wird die Darstellung und Beurteilung seines Systems zeigen [2]. Hier möge der Hinweis darauf genügen, daß der scholastische Einfluß es ihm ermöglichte, seine Theologie mit seiner Philosophie und also auch der Pädagogik zu verbinden. Die Scholastik bewirkte also, daß er der Begründer einer durchaus christlichen Erziehungslehre wurde. Auch in formaler Hinsicht ist jedenfalls ihr Einfluß nicht zu unterschätzen. Die Scholastiker waren infolge ihrer dialektischen Schulung groß im Aufbau von Systemen [3]. Wir dürfen annehmen, daß das überall in den pädagogischen Werken hervortretende Bestreben des Comenius nach Einheitlichkeit und Übersichtlichkeit eine Folge seiner Abhängigkeit von der Scholastik ist. Es hängt also der Ruhm, der erste Systematiker der Pädagogik zu sein, eng mit seiner scholastischen Neigung zusammen.

b) Der Humanismus in der Philosophie des Comenius [4].

Auch dem Humanismus hat Comenius einige wertvolle Züge seines Systems entlehnt. Humanistisch ist die Forderung, daß der Mensch zum Menschen gebildet werden müsse [5], humanistisch sind die vielfachen Ausführungen über das Wesen der menschlichen Natur [6]. Der Humanismus befähigte ihn, ein pädagogisches System zu schaffen, welchem von der heutigen wissenschaftlichen Pädagogik hohe Anerkennung gezollt werden muß. Wenn er auch scheinbar viele

---

[1] Siehe Comenius II, S. 4—13!
[2] Siehe unten S. 45, 79 u. 84 ff.!
[3] Vergl. Comenius I, S. 13!
[4] Über den Humanismus und des Comenius Stellung zu ihm siehe Comenius I, S. 14—16!
[5] Vergl. Didactica magna, V—VII. Comenius III, S. 20 ff.!
[6] Siehe die „Panegersia", Comenius II, S. 29; das „Schullabyrinth", Comenius III, Seite 94 ff., und zahlreiche Stellen der Did. magna!

seiner Erziehungs= und Unterrichtsregeln aus der objektiven Natur ableitete, so war es doch das anthropologische Prinzip seiner Pädagogik (und seine scharfe psychologische Beobach= tungsgabe) welche ihn zur Auffindung von Grundsätzen be= fähigten, deren Gültigkeit für alle Zeiten feststeht.

c. Der Realismus des comenianischen Systems[1].

Der Realismus ist der hervorstechendste Charakterzug in der Philosophie des Comenius. Seine Anwendung in der Pädagogik macht ihn zum Begründer des „realen Rea= lismus"[2]. Die Naturphilosophie Bacos geht von der sinn= lichen Wahrnehmung aus, findet durch Induktion immer höhere Axiome, führt zu immer höherer Erkenntnis und be= fähigt durch die Einsicht in die Naturvorgänge zur Be= herrschung der Natur. Ebenso ist auch für Comenius die Sinneswahrnehmung Ausgangspunkt aller Erkenntnis. Es gibt nichts in der Einsicht, was nicht zuvor in den Sinnen gewesen ist. Die sinnliche Wahrnehmung verleiht der Erkenntnis unmittelbare Gewißheit. Das, was die Sinne vermitteln, wird durch die Vernunft zu Begriffen verarbeitet[3], aber ergänzt und berichtigt durch die göttliche Offenbarung.

Auch die von Baco empfohlene Methode der Induk= tion wird von Comenius geschätzt, besonders für die Natur= wissenschaft. Aber sie genügt ihm nicht, weil sie nach seiner Ansicht nur für die Erforschung der Natur verwendbar ist. Auch ist sie so mühsam, daß mit ihrer Hilfe erst nach Jahr= hunderten sichere Ergebnisse zu erwarten sind. Darum sind andere allgemeine pansophische Normen aufzufinden, mit deren Hilfe man schneller zur Erforschung und Erkenntnis alles Gegebenen durchzudringen vermag. Comenius macht daher von der Induktion nur selten Gebrauch. Auch sind ihm die Erfahrungstatsachen nicht immer maßgebend, wenn

---

[1] Über Baco und den Realismus siehe Comenius I, S. 16 ff.!

[2] Siehe unten S. 72—75: „Comenius als Begründer der rea= listischen Pädagogik".

[3] Vergl. Bacos Ausspruch: „Der erkennende Mensch gleicht nicht der alles aus sich herausgestaltenden Spinne 2c." Comenius I, S. 19! Siehe auch Com. II, S. 5: Das Vorwort zur „Physik"!

sie seinen sonstigen Absichten und Ideen widersprechen. Auch die hohe Bedeutung der Induktion, des entwickelnden Verfahrens, für die Methode des Unterrichts namentlich auf den unteren Stufen, hat er nicht erkannt.

Auch den Grundsatz Bacos, daß der Zweck der menschlichen Erkenntnis Beherrschung der Natur sei, hat sich Comenius zueigen gemacht. Dazu ist aber die dialektische und formalistische Bildung der Scholastik durchaus ungeeignet. Es müssen vielmehr die Dinge selbst Gegenstand der Erkenntnis werden. Hieraus folgen für die Pädagogik die wichtigen Grundsätze, daß nur das im Leben Verwendbare gelehrt werden soll (non scholae sed vitae discimus), und daß die Realien in den Kreis des Unterrichts eingeführt werden müssen[1]. Daher die Feindschaft des Comenius gegen das Wortwissen, das Lernen aus Büchern, daher die Polemik gegen das kritiklose Übernehmen des von Aristoteles u. a. gebotenen Wissens und gegen das Sichstützen auf Autoritäten, daher anderseits die starke Betonung der Autopsie (Selbstanschauung), der Autopraxie (Selbsttätigkeit) und der Autochresie (Selbstnutzanwendung) als der einzig richtigen Grundlage für gründliche Wissenschaft und Tugend und somit für die Glückseligkeit des Menschen[2].

Was aber bedeutet das Wort „Natur" bei Comenius?[3] Jedenfalls nicht bloß die sog. objektive Natur. Es ist falsch, Comenius als einseitigen Vertreter eines objektiven Naturalismus hinzustellen. Eine begriffliche Analyse des neu gefundenen Zauberwortes „Natur", eine klare Unterscheidung zwischen subjektiver und objektiver Natur hat er noch nicht vorgenommen. Vielmehr ist der Begriff „Natur" überhaupt die Basis seiner Pädagogik und bezeichnet bald die objektive, bald die subjektive Natur. Erst der Folgezeit blieb diese

---

[1] Über den Realismus und Utilitarismus in der Pädagogik des Comenius siehe weiter unten S. 72—75!

[2] Siehe „Ausgang aus den Schullabyrinthen", Comenius III, Seite 96!

[3] Vergl. die gründliche Untersuchung dieses Begriffs von Dr. Herm. Hähner in seiner Schrift „Natur und Naturgemäßheit bei Comenius und Pestalozzi"! Chemnitz 1890. Einige Gedanken dieser Abhandlung sind in Comenius I, S. 90 f. mitgeteilt worden.

klare Trennung und damit die Beseitigung mancher Wider=
sprüche vorbehalten, an welcher die Pädagogik des Comenius
infolge dieser mangelnden Scheidung leidet.

Wichtig ist auch noch, was Comenius über die Kraft
der Natur sagt. Hierüber spricht er besonders im 6. Ka=
pitel der Zusätze zu seiner „Physik"[1]. Dort heißt es:
„Natur ist die den Dingen angeborene Kraft, der Ursprung
der von selbst sich ergebenden Bewegungen und Tätigkeiten".
Oder: „Natur ist die der ganzen Welt und einem jeden
Weltkörper angeborne Kraft, zu wirken, zu ruhen in der
ihr passenden Weise. Natürlich heißt alles, was mit uns
geboren wird, und was aus freiem Trieb der Natur ge=
schieht". Sie ist also die Kraft eines Dinges, das zu wirken,
wozu es bestimmt ist. Der comenianische Naturbegriff ist
also, wie Hähner[2] aus diesen Stellen folgert, ein Zweck=
begriff. Da nun nach der pantheistischen Naturphilosophie[3]
des Comenius Gott als spiritus mundi alles in allem
wirkt, so kann er in der Did. magna (V, 2) auch sagen:
„Das Wort Natur bezeichnet die allgemeine Vorsehung
Gottes oder den unaufhörlichen Zufluß der göttlichen Güte,
damit jedes Geschöpf sich seiner Bestimmung gemäß ent=
wickeln kann"[4].

Bedeutsam für die Pädagogik des Comenius ist endlich
auch noch dessen Ansicht über das Verhältnis der
Natur zur Kunst. In der ganzen sichtbaren Welt gibt
es zwei Gruppen: Natur und Kunst. Die Natur geht den
Künsten voraus; sie ist ihnen als Grundlage unterzulegen[5].
Da die Naturdinge sich nicht ändern, die Natur im rechten
Laufe nicht abirren kann, so gilt für die Jünger der Künste das
Wort Ciceros: Naturam si sequemur ducem, non aberrabi-
mus, d. h. wenn wir der Natur folgen, werden wir nicht
irren. Die Natur ist also für die Kunst eine unfehlbare
Führerin. Diese autoritative Stellung der Natur zur Kunst

---

[1]) Comenius II, 9 f.
[2]) Hähner, a. a. O. S. 81!
[3]) Siehe oben S. 2!
[4]) Siehe Comenius III, S. 20!
[5]) Vorwort zur „Physik", Comenius II, S. 5.

wird begreiflich, wenn wir uns der naturphilosophischen Ansicht des Comenius erinnern, daß es eben Gott selbst ist, der in den Dingen der Natur wirksam ist[1]. Ist aber die Natur die Führerin der Kunst überhaupt, so ist sie es selbstverständlich auch in der Erziehungs- und Unterrichtskunst. Die praktische Durchführung dieses Gedankens enthält die Didactica magna, wobei in der Teleologie der Erziehung die Beachtung der subjektiven Natur, in der Methodologie die der objektiven Natur vorwaltet[2].

2. Die pansophische Grundlage.

a) Die pansophische Theorie.

Zum Verständnis der Pädagogik des Comenius ist ferner nötig, jene eigentümlichen Bestrebungen und Versuche zu überblicken, welche er mit dem Namen „Pansophie" (Allweisheit) bezeichnet hat[3]. Gedankengang und Bedeutung der wichtigsten pansophischen Schriften sind im II. Teil (S. 13—55) bereits angegeben worden. Im Anschluß an diese geben wir hier eine kurze übersichtliche Darstellung der Hauptpunkte der Pansophie.

α) Das Wesen der Pansophie.

Eine einfache, klare Begriffsbestimmung über das Wesen der Pansophie ist in den Schriften des Comenius nicht enthalten; vielmehr sind seine Ausführungen in dieser Beziehung ziemlich schwankend und unbestimmt[4]. Das erklärt sich daraus, daß der Begriff der Pansophie infolge der bis zu seinem Tode fortgesetzten pansophischen Studien im Laufe der Zeit mancherlei Wandlungen durchgemacht hat[5].

[1] Siehe oben S. 4!

[2] Siehe unten S. 44—58 die Darstellung der Erziehungs- und Unterrichtslehre und deren Beurteilung S. 89—92!

[3] Vergleiche über die Pansophie auch Comenius I, S. 53 ff.! — Eine eingehende Darstellung und Würdigung der pansophischen Schriften enthält die neuerdings von Dr. Gustav Beißwänger herausgegebene Arbeit: „Amos Comenius als Pansoph. Eine historisch-philosophische Untersuchung". Stuttgart 1904.

[4] Vergl. G. Beißwänger, a. a. O. S. 5!

Meines Erachtens) sind drei Hauptmomente als zum Begriff der Pansophie gehörig besonders hervorzuheben. Die Pansophie soll 1. eine Enzyklopädie des gesamten Wissens, 2. eine Janua rerum, eine Sachenpforte sein, 3. sie ist auf christlicher Grundlage zu erbauen.

1. Die Pansophie soll eine Enzyklopädie des gesamten Wissens sein. Dieses Ziel verfolgte er in seinem pansophischen Erstlingswerke, zu dem er den Plan bereits während seiner Studienzeit faßte[1]), und das er dann als Rektor in Prerau teilweise zur Ausführung brachte in dem „Theatrum universitatis rerum", „Schauplatz der Gesamtheit der Dinge". Alle Dinge sollten darin behandelt werden, über die seine Landsleute irgendwelche Auskunft zu erhalten wünschten. Eine „rechte Hausbibliothek" sollte sie ihnen sein[2]). „In der Ausführung sehen wir hier noch überall die traditionelle Methode, die wohl systematisch vorgeht, aber dabei eben doch rein enzyklopädisch verfährt und Stoff an Stoff reiht, ohne diesen selbst aus tieferen Prinzipien abzuleiten".

2. Die Pansophie erfordert weiter eine Janua rerum, eine Sachenpforte. Comenius selbst berichtet, daß der große Erfolg der Janua linguarum ihn angespornt habe, höhere Ziele zu verfolgen. Denn dieses Werk lehre doch nur die Dinge äußerlich zu unterscheiden. Viel wichtiger aber sei eine Janua rerum, welche befähige, in das Innere, das Wesen der Dinge selbst einzudringen[3]). Das Wort „Sachen" bezeichnet aber nicht etwa bloß die Naturdinge, sondern alles Seiende oder Gegebene überhaupt. Auch will Comenius später nicht eine bloße Enzyklopädie alles Wissens geben, sondern auf Grund einer neuen und universellen Musterung aller Güter und Inventarien soll alles auf die letzten Prinzipien der Dinge und des Seins zurückgeführt[4]) und zu einem harmonischen Gefüge aufgebaut werden. Auf dem Grunde der allen Menschen gemeinsamen Urbegriffe, Urteile,

---

[1]) Siehe Comenius I, S. 43!
[2]) Vergl. Beißwänger, a. a. O. S. 7 ff!
[3]) Vergl. Comenius II, S. 13!
[4]) Siehe „Vorläufer der Pansophie", Abschn. 51, Comenius II, Seite 17!

und Urkräfte soll sich ein einheitlich zusammengefügtes Ganze des Wissenswerten, des Begehrungswürdigen und des Auszuführenden erheben[1]). Indem die Janua die Begriffe des Seins, des Nichtseins, des Halbseins zur Klarheit zu bringen sucht, indem sie Lösung der drei Fragen: was? durch was? wie? bringen soll, wird sie zugleich auch zu einer Art Seinslehre oder Metaphysik[2]). Zum Wesen der Pansophie gehört also eine universale Kenntnis der Dinge, die alles in ihrem Bereiche Liegende umfaßt und allenthalben unter sich verbindet. Der Geist des Menschen soll in Wahrheit ein Bild des allwissenden Gottes werden[3]). Die Pansophie soll ein wahres und lebendiges Abbild der Worte und Werke Gottes sein[4]), ein dem lebensvollen Baum ähnliches Weltbild voller Leben, ein gediegenes Brevier der allumfassenden Bildung[5]), ein Tempel der Allweisheit, der dem menschlichen Geiste eine Arbeitsstätte bereitet, von der aus er alles Sichtbare und Ewige umfassen kann[6]).

3. Hat Comenius auch hinsichtlich des Begriffes und des Zweckes der Pansophie seine Auffassung mehrfach geändert, so hat er doch darin niemals geschwankt, daß ihr Grundcharakter ein christlicher sein müsse. Darum genügte ihm auch die von dem Arzte und Philologen Petr. Laurenberg verfaßte Pansophie nicht. Denn Christus, die Quelle der Weisheit, sei in diesem Buch überhaupt nicht erwähnt[7]). Er will vielmehr ein Werk schaffen, welches nicht nur für das gegenwärtige, sondern auch für das zukünftige Leben vorbereite, indem er einen Auszug aus den drei Büchern Gottes gibt: der Natur, dem menschlichen Bewußtsein und der heiligen Schrift[8]). Die Pansophie soll mehr sein als eine bloße Philosophie oder Theologie. Sie soll alles Seiende umfassen, aber alles vom christlichen

---

[1]) Panegersia, Comenius II, S. 33!
[2]) Vergl. Beißwänger, S. 45 u. 46!
[3]) Prodromus pansophiae, Abschn. 7, Comenius II, S. 14.
[4]) Prodr. pans., Abschn. 38, Com. II, S. 16.
[5]) Prodr. pans., Abschn. 39, Com. II, S. 16.
[6]) Dilucidatio, Abschn. 10, Com. II, S. 22.
[7]) Siehe Comenius I, S. 54!
[8]) Dilucidatio; Comenius II, S. 21.

Standpunkt aus. Das ist erreichbar, wenn neben der Wahrnehmung durch die Sinne und Vernunft auch die göttliche, in der Bibel vorliegende Offenbarung als Erkenntnisquelle benutzt wird. Hiermit steht nach des Comenius Ansicht nicht in Widerspruch, daß bei Bearbeitung der Pansophie auch die Schriften der Heiden zu berücksichtigen sind. Denn wenn eine universelle Schatzkammer der Weisheit geschaffen werden solle, die in den gemeinschaftlichen Besitz des ganzen menschlichen Geschlechts kommen soll, so sei es billig, daß alle Geister, alle Völker, Sekten und Zeitalter ihren Beitrag dazu lieferten. Auch den in der Irre gehenden Heiden habe Gott einige Funken seines göttlichen Lichtes mitgeteilt[1].

β) **Mittel oder Methode der Pansophie.**

1. Um die Pansophie zu ermöglichen, müssen gewisse Normen[2] aufgestellt werden, um das Notwendige vom Nichtnotwendigen, das Nützliche vom Nichtnützlichen unterscheiden zu können. Allerdings hat Baco schon eine solche Norm aufgestellt, die Induktion; aber für die Pansophie genügt sie nicht[3]; denn sie will nicht nur die Natur, sondern das gesamte Seiende erforschen. Es müssen daher andere, allgemeine Normen gefunden werden. Welcher Art sie sein müssen, erläutert Comenius im Prodromus pansophiae durch 18 kurze Sätze[4].

2. Beim Aufbau der Pansophie muß die vollkommenste Methode angewandt werden. Dazu gehört folgendes: a) das All (das Gegebene oder Seiende) muß genau zergliedert werden. b) Man muß sich über die Bedeutung der Wörter verständigen, besonders über die der allgemeinen, die man überall anwendet, damit nichts unverständlich bleibt 2c.[5] c) Die Pansophie geht von allgemeinen Sätzen, Axiomen, aus, die des Beweises nicht bedürfen.

---

[1] Siehe Prodromus pansophiae, Abschn. 57; Comenius II, S. 17! Vergleiche auch Kap. 25 der Didactica magna!

[2] Prodromus pans., Abschn. 62 ff.; Comenius II, S. 17.

[3] Die Gründe siehe oben S. 10!

[4] Prodromus pansophiae, Abschn. 64—81; Com. II, S. 18.

[5] Siehe Prodromus pansophiae, Abschn. 82 ff.; Com. II, S. 19!

3. Um zuverlässige Gesetze für die Pansophie zum Heile der Menschheit aufzustellen, ist gemeinsame Beratung nötig. Es müssen also alle gehört werden, die etwas dem Ganzen Nützliches zu sagen haben. Jeder hat die Pflicht, vorzubringen, was er für das allgemeine Wohl zweckdienlich hält; nur geschehe es mit Ernst, Bescheidenheit und Mäßigung unter Anrufung der göttlichen Hülfe[1].

γ) Zweck der Pansophie.

Wie den Begriff der Pansophie, so hat Comenius im Laufe der Zeit auch den Zweck seiner pansophischen Arbeiten verändert, bezw. erweitert. Im ganzen lassen sich drei verschiedene Zwecke unterscheiden: ein nationaler, ein allgemein menschlicher und ein religiöser Zweck[2].

1. Der nationale Zweck. Es ist oben (S. 14) gesagt worden, daß Comenius bereits als Jüngling, zur Zeit seiner Wirksamkeit in seiner Heimat Mähren, sein pansophisches Erstlingswerk verfaßt habe. Daß er mit dieser Arbeit rein nationale Zwecke verfolgte, sieht man schon daraus, daß er sie nicht in der Sprache der Gelehrten, dem Latein, sondern in der Sprache seines Volkes schreiben wollte. Die Absicht, seinen Landsleuten zu dienen, war es, die ihn zuerst zur Schriftstellerei trieb. Das bestätigt auch sein Entschluß, den er während seiner Studienzeit faßte, nämlich niemals in einer andern Sprache als in seiner Muttersprache etwas zu schreiben[3]. Nun sagt Comenius einmal, daß seine Volksgenossen etwas lässig in dem Betriebe der Studien seien. Es ist daher begreiflich, daß er, der in seinen Studienjahren so reichlich aus der Quelle der Wissenschaft geschöpft) und den Segen eines ernsten wissenschaftlichen Strebens an sich erfahren hatte, sich aus Liebe zu seinem Volke getrieben fühlte, seinerseits Hand ans Werk zu legen, um die Unwissenheit seiner Volksgenossen beseitigen

---

[1] Panegersia, Comenius II, S. 33 f.

[2] Ausführlicheres siehe bei Beißwänger, a. a. O. S. 53—64, wo die Frage beantwortet wird: „Was hat Comenius eigentlich mit seiner Pansophie gewollt, und wie hat er die Aufgabe, die ihm dabei vorschwebte, gelöst?"

[3] Siehe Comenius I, S. 43!

zu helfen. Es kam hinzu, daß damals die Protestanten Böhmens und Mährens, obgleich bereits sich die Anzeichen des kommenden Sturmes bemerkbar machten, weit eher eine Zeit neuen Aufschwungs, auch in Wissenschaft und Wohlstand, als den Anbruch ihrer völligen Vernichtung vor der Türe glaubten[1].

Als dann die Katastrophe über die „Brüder" hereingebrochen war, als sie in benachbarten Ländern eine Zuflucht gefunden hatten, ließen sie und Comenius mit ihnen dennoch nicht die Hoffnung fahren, daß eine Rückkehr ins geliebte Vaterland und eine Wiederaufrichtung des hart geprüften Volkes stattfinden werde[2]. Für diese Zeit alles in Bereitschaft zu haben, um eine schnelle Restitution und Reformation durchführen zu können, darauf war von jetzt an das Streben der Brüder und insbesondere des Comenius gerichtet. Zu diesem Zwecke schrieb er seine pädagogischen Bücher, seine Didactica magna[3] und die Janua[4]; diesem nationalen Zwecke sollte von nun an auch die Pansophie dienen.

2. Der allgemeine menschliche Zweck. Aber alle Hoffnungen der „Brüder" erwiesen sich als trügerisch. Der Ausschluß der Brüder-Unität vom westfälischen Frieden (1648) überzeugte auch den Comenius, daß nach menschlichem Ermessen (an eine Wiederherstellung seines Volkes) zunächst nicht zu denken sei[5]. Inzwischen hatte ihn seine Janua in ganz Europa und darüber hinaus berühmt gemacht. Infolge seiner großen Reisen nach England und Schweden hatte sich sein Blick über die nationalen Schranken erweitert. Immer mehr gewann er aus eigener Anschauung die Überzeugung, daß in der Welt überhaupt viel Elend und Zerrüttung herrsche[6] So reifte in ihm der Entschluß, „das,

---

[1] Vergl. Beißwänger, a. a. O. S. 54!
[2] Vergl. Comenius I, S. 51 u. 64!
[3] Siehe Comenius III, S. 1 ff.: Abfassung der Did. magna!
[4] Siehe Comenius II, S. 53: Abfassung der Janua!
[5] Ganz aufgegeben hat er diese Hoffnung wohl niemals, wie sein Glaube an die „Weissagungen" eines Kotter, Drabik u. a. und die Herausgabe der Schriften „Lux in tenebris" und „Lux e tenebris" beweisen. Siehe Comenius I, S. 72 f.!
[6] Siehe die „Panegersia", Comenius II, S. 27 u. 28!

was seinem Volke, für das es bestimmt war, nicht nützen konnte"[1]), nun der ganzen Menschheit zum Heile zu verwenden. Dieses Ziel hoffte er durch die Pansophie zu erreichen. Darum schätzte er diese so hoch, daß ihm gegenüber dieser „königlichen Wissenschaft" die Arbeiten für den Lateinunterricht als „Lappalien" erschienen. Dem Menschengeschlechte sein ganzes und volles Heil zu zeigen, nachzuweisen, wie wir in tausend und tausend Irrtümer geraten, und wie wir zu unserer ursprünglichen Einfalt, Ruhe und Glückseligkeit kommen können[2]), das ist fortan das Ziel seiner pansophischen Bestrebungen. Die allgemeine Weisheit ist das höchste Gut der Menschen[3]); sie ist das Mittel, Begreifliches begreiflich und die Welt sich untertan zu machen. Sie allein ist imstande, der Verderbtheit der menschlichen Zustände entgegenzuarbeiten, die dadurch herbeigeführt worden ist, daß alles in unheilvolle Trennung geraten. Sie führt die Menschheit auf den wahrhaft königlichen, göttlichen Weg des Lichts, des Friedens und der Einheit zurück[4]). Sie heilt die Wunden der Schulen, Kirchen und Staaten[5]) und führt dadurch ein glücklicheres Zeitalter herbei[6]).

3. Der religiöse Zweck. Die Pansophie des Comenius hat trotz aller Schwankungen niemals ihren christlichen Charakter verleugnet[7]). Neben dem „immanenten" Zwecke, den Bedürfnissen des diesseitigen Lebens zu dienen, hat sie von Anfang an auch eine „transzendente" Bestimmung gehabt, nämlich den Menschen das ewige Heil zu vermitteln. Als er sich gegen Ende seines Lebens immer mehr in mystischen Schwärmereien verlor[8]), als er aus den Zeichen der Zeit schließen zu müssen glaubte, daß der Anbruch des

---

[1]) Vergl. die Vorrede zur Didactica magna in Comenius III, Seite 5!

[2]) Siehe die „Panegersia", Comenius II, S. 27!

[3]) Prodromus pansophiae, Abschn. 2, Comenius II, S. 14!

[4]) Panegersia, Comenius II, S. 32 f.

[5]) Prodromus pans., Abschn. 42 u. 43, Comenius II, S. 16.

[6]) Über Comenius als Vertreter des „christlichen Humanismus" siehe Comenius I, S. 48 u. 99!

[7]) Siehe oben S. 15!

[8]) Vergl. seine Schriften Lux in tenebris und L. e tenebris!

1000jährigen Reiches nahe bevorstünde, da ist der höchste Zweck seiner Pansophie, das Kommen des Gottesreiches auf Erden verbreiten zu helfen. Die Weisheit Christi zu erlangen, ist das „Eine Notwendige", das allein zur Verbesserung der menschlichen Dinge, insbesondere zur Eintracht und zum Frieden führt. Im Vergleich zu diesem sind alle anderen menschlichen Bemühungen Labyrinthe[1].

b) Die pädagogische Bedeutung der Pansophie.

Daß die Pädagogik des Comenius durch seine pansophischen Arbeiten, welche seine Kräfte sein ganzes Leben lang in Anspruch nahmen, stark beeinflußt worden ist, leuchtet ohne weiteres ein. Es wird dies nun um so mehr begreiflich, als Comenius seine erste pansophische Schrift lange vor der Herausgabe seiner pädagogischen Hauptschriften in Angriff genommen hat. In der Tat läßt sich leicht nachweisen, wie die pansophischen Ideen sich auch in seiner Pädagogik bemerkbar machen. Es genügt schon ein Blick auf den Titel seiner Hauptschrift: „Große Didaktik, in welcher eine allgemein gültige Kunst, alle alles zu lehren, dargestellt wird", um die enge Verbindung von Pädagogik und Pansophie zu erkennen. Dieser Titel zeigt uns, wie sowohl die Erziehungs= als auch die Unterrichtslehre des Comenius einer pansophischen Grundlage nicht entbehren.

α) Die Bedeutung für die Erziehung.

1. Wenn von Comenius gesagt worden ist, daß er inbezug auf tiefe Erfassung der erziehlichen Aufgabe von keinem andern Pädagogen, nicht einmal von Pestalozzi, übertroffen worden ist, so gibt uns die Pansophie gleichsam den Schlüssel dazu, diese Bedeutung zu verstehen und zu erklären. Sie zeigt, daß die Erziehung nur Mittel ist zu einem höhern Zwecke, dem Ziel der Pansophie: Beseligung der Menschheit, Beseitigung aller menschlichen Unvollkommenheiten, Herstellung des Friedens und der Eintracht unter allen Menschen. Wie die Pansophie im letzten Grunde einen religiösen Zweck hat, so besteht auch das oberste Ziel

---

[1] Vergl. das „Unum necessarium". Comenius I, S. 74!

aller Erziehung in der Erlangung der ewigen Seligkeit in Gemeinschaft mit Gott.

2. Aus dem Begriffe der Pansophie ergibt sich weiter der Begriff der allgemeinen Volksschule. Denn wenn allen Menschen das Heil vermittelt werden soll, wenn alle in Frieden und Eintracht miteinander leben sollen, so begreift sich, daß alle Menschen der Bildung teilhaftig gemacht werden müssen. Das ist nur möglich in einer Bildungsanstalt, welcher die gesamte Jugend des Volkes zugeführt wird, in der Muttersprach= oder Volksschule[1].

3. Auch ein utilitaristischer Zug findet sich in der Pansophie, den wir schon als eine Konsequenz seines realistischen Standpunktes kennen gelernt haben. Die Pansophie soll auch eine zuverlässige Tabulatur der Geschäfte des Lebens sein[2]. Erkennen, Wollen und Ausführen sind die den Menschen angeborenen Grundlagen; sie sind die Pandekten der in uns niedergelegten göttlichen Weisheit. Zu einer allseitigen Erziehung gehört also auch der praktische Gebrauch, die Anwendung des Erlernten. Man soll nicht nur wahre, sondern auch nützliche Erkenntnisse erzielen[3]. Die allgemeine Weisheit ist das Mittel, die Welt sich untertan zu machen[4].

β) Die Bedeutung für den Unterricht.

1. Zunächst ist zu erwähnen, daß der pansophische Gesichtspunkt für die Auswahl des Unterrichtsstoffes bestimmend gewesen ist. Wie die Pansophie eine Übersicht des Seienden überhaupt geben sollte, so soll auch in den Schulen „alles" gelehrt werden, natürlich unter Beschränkung auf das Wertvolle und Nützliche[5]. Darum ist schon in der Mutterschule alles zu behandeln, nämlich Metaphysik, Naturwissenschaft ꝛc.; allerdings aus jedem einzelnen Gebiete nur die grundlegenden Begriffe. Ebenso sollen die in den sechs Klassen der

---

[1] Vergl. den Einfluß der Reformation auf Comenius, I. Teil, S. 25! — Hoffmeister nennt Comenius und Pestalozzi die beiden Säulen unserer Volksschule.

[2] Prodromus pans., Abschn. 39; Comenius II, S. 16.

[3] Prodr. pans., Abschn. 89; Com. II, S. 19.

[4] Prodr. pans., Abschn. 3; Com. II, S. 14.

[5] Vergl. die Erklärung des „alles" in der Did. magna, Kap. X; Comenius III, S. 28!

Volksschule zu gebrauchenden Bücher „alles" enthalten. Sie behandeln also alle denselben Stoff, aber in konzentrischer Erweiterung in Anpassung an die Entwicklungsstufe des kindlichen Geistes. Auf diese Weise gelangt Comenius infolge seines Begriffs der Pansophie als einer Enzyklopädie des Wissens zu seinen komparativen, enzyklopädischen und konzentrischen Jahrgängen[1]). Was er als das „Alles" ansah, das in der höheren Schule als Stoff des Unterrichts anzusehen sei, dafür liegen in dem Orbis pictus, der Janua und der Schola ludus praktische Versuche vor, in welchen das Gegebene nach den drei Begriffen Natur, Mensch und Gott geordnet ist. Es hängen also selbst die Sprachlehrbücher des Comenius aufs innigste mit seinen menschheitlichen Bestrebungen zusammen[2]).

2. Auch inbezug auf die Methode stehen Pansophie und Pädagogik des Comenius in enger Beziehung. Allerdings gilt hier, daß nicht die Methode der Pansophie die der Pädagogik beeinflußt hat, sondern umgekehrt hat Comenius versucht, die in der Didactica magna bereits verwandte Methode der Analogieschlüsse oder des synkritischen Verfahrens auch für die Pansophie fruchtbar zu machen, um zu der ersehnten allgemein gültigen pansophischen Norm zu gelangen. Es erklärt sich diese Tatsache aus dem Umstande, daß Comenius in seinem pansophischen Jugendwerke, dem Theatrum universitatis, über die rein äußerliche enzyklopädische Methode, welche in einer mehr oder weniger losen Aneinanderreihung des Stoffes bestand, noch nicht hinausgelangt war. Als er dann später den Plan faßte, eine Janua rerum zu schaffen[3]), in welcher das gesamte Seiende, auf wenige Prinzipien zurückgeführt, als eine organisch verbundene Einheit des gesamten menschlichen Wissens erscheine, da lag es nahe, die bereits in der Didactica magna praktisch erprobte und bewährte synkritische Methode auch in der Pansophie anzuwenden.

---

[1]) Siehe weiter unten (S. 52—58) die Darstellung der Unterrichtslehre!

[2]) Vergl. die Anmerkung auf S. 26 in Comenius II!

[3]) Siehe oben S. 14!

c. Die praktische Anwendung der Pansophie.

Bekanntlich hatte Comenius Gelegenheit, seine auf die Erziehung bezüglichen pansophischen Ideen in die Praxis umzusetzen. Wie weit die Einrichtungen der pansophischen Schule zu Saros Patak hinter dem von ihm gezeichneten Ideal zurückblieben [1]), welche Schwierigkeiten sich der Ausführung seines Gedanken entgegenstellten, ist im I. und II.[2]) Teile bereits erörtert worden.

III. Die besondere philosophische Grundlage.

1. Die Psychologie des Comenius.

a) Vorbemerkungen.

α) Bedeutung der comenianischen Psychologie für seine Pädagogik.

Allerdings hat Comenius seine Pädagogik nicht bewußt auf eine psychologische Grundlage gestellt; vielmehr ist seine Naturphilosophie, insbesondere der Begriff „Natur" überhaupt das Fundament seines Systems. Außerdem steckte die Psychologie zu seiner Zeit noch in den ersten Anfängen, so daß es ihm, selbst wenn es seine Absicht war, nicht möglich gewesen wäre, seine Pädagogik auf psychologischer Grundlage zu erbauen. Anderseits aber ist die Tatsache, daß er eine Fülle von Erziehungs- und Unterrichtsgrundsätzen aufgestellt hat, die für alle Zeiten gültig sein werden, nur dadurch zu erklären, daß sie den Gesetzen der menschlichen Natur entsprechen. Als pädagogischer Genius traf er vielfach unbewußt das Richtige. So mangelhaft seine psychologische Theorie war, so glänzend bewährte sich seine praktische psychologische Beobachtungsgabe.

---

[1]) Die wissenschaftliche Untersuchung, aus welchen Ursachen die Pansophie des Comenius unausführbar war, siehe in Beißwänger, a. a. O. Seite 65 ff.!

[2]) Comenius I, S. 65—68. Comenius in Saros Patak. Comenius II, 36—51. Die in Saros Patak verfaßten pansophischen Schulschriften.

3) Der zweifache Charakter der comenianischen Psychologie.

Daß die Psychologie des Comenius äußerst mangelhaft ist, ersieht man schon aus dem Umstande, daß eine zusammenhängende Darstellung der Seelenlehre in seinen Schriften nicht zu finden ist. Nur gelegentlich flicht er psychologische Ausführungen in seine Abhandlung ein, so z. B. in der Didactica magna, besonders in den Kapiteln I—VII, X, XII, XV, XVII, in der Panegersia und im Exitus, Abschn. 27 u. 29. Mehr zusammenhängende Belehrungen findet man im XI. Kapitel der „Physik" und im II. Schauspiel der Schola ludus. Auch die Janua und der Orbis pictus enthalten psychologische Belehrungen. Eine wissenschaftliche psychologische Methode zur Klarstellung und logischen Ableitung der Begriffe dürfen wir natürlich bei Comenius nicht erwarten. Daher ist auch begreiflich, daß in seiner Psychologie mancherlei Unklarheiten, ja Widersprüche zu finden sind. Im besondern sind sie dadurch veranlaßt, daß Comenius infolge seiner eklektischen Neigungen versucht hat, sowohl den Lehren der Bibel gerecht zu werden als auch das Wesen der Seele naturphilosophisch zu begreifen. Biblisch oder scholastisch ist z. B. die Lehre, daß der Mensch ein Abbild oder Ebenbild Gottes sei, daß sich in den drei Grundkräften der Seele die göttliche Dreieinigkeit widerspiegle, ferner die Ableitung der Unbegrenztheit der menschlichen Entwickelungsfähigkeit aus der göttlichen Allwissenheit und Allweisheit. Von scholastischem Einflusse zeugt ferner das Hineinziehen der Lehre von der Erbsünde in seine Psychologie, wodurch nach Scherers[1] Ansicht diese entstellt und zur Grundlage seiner Pädagogik überhaupt unbrauchbar geworden ist. Anderseits gründet er seine Psychologie auf Erfahrung und bringt sie mit seiner pantheistisch gefärbten Naturphilosophie in Verbindung.

b) Übersichtliche Darstellung.

α) Das Wesen der Seele.

1. Der Mensch ist ein vernünftiges, mit unsterblicher Seele begabtes animales Wesen[2]. Was Gott anderen

---

[1] Scherer, Die Pädagogik vor Pestalozzi, Leipzig 1897. S. 258.
[2] Physik, Kap. X, Comenius II, S. 8.

Wesen nur einzeln verliehen hat, das schenkte er dem Menschen zusammen, nämlich: Sein, Leben, Empfindung und Vernunft[1]). Im Menschen ist Gott, der spiritus mundi, als spiritus naturalis, vitalis, animalis und mentalis (als natürlicher, lebendiger, tierischer und vernünftiger Geist) wirksam. Dementsprechend ist das Leben, welches wir hier führen, ein dreifaches: ein vegetatives, ein animales und ein intellektuales oder geistiges[1]). Hieraus erklärt sich, daß Comenius beim Menschen Seele und Geist unterscheidet. Eine Seele (anima) haben auch die Tiere, in welchem der spiritus animalis wirkt; der Mensch aber ist außerdem noch Geist (mens), weil in ihm außerdem sich der spiritus mentalis oder intellectualis betätigt.

2. Wohnplatz und Werkzeug der menschlichen Seele ist der Körper[2]). Die Seele ist ein Hauch (vapor), klar wie ein Krystall, jedoch äußerst zart, äußerst lebendig, äußerst kräftig, der den ganzen Körper trägt, bewegt und wendet mit der größten Leichtigkeit. Er entsteht und wohnt im Gehirn, und indem er von da durch die Nerven zu allen Gliedern fließt, teilt er diesen Empfindung mit und lenkt ihre Bewegung[3]). Der Sitz der Seelenkräfte ist also im Gehirn. Von da laufen sie zu den Ohren, Augen, zur Nase und Zunge und durch den ganzen Körper und bewirken, daß alles, was uns entgegentritt, nach seiner Beschaffenheit wahrgenommen wird[4]). Zu dieser altmaterialistischen Seelenauffassung stimmt die Abbildung der Seele im Orbis pictus. Das Bild zeigt die Umrisse einer menschlichen Gestalt; der Raum innerhalb der Figur ist fein punktiert zum Zeichen, daß die menschliche Seele den ganzen Körper durchdringt.

β) Die Kräfte der menschlichen Seele.

1. Wesen und Einteilung. Inbezug auf die seelischen Kräfte finden sich bei Comenius manche Schwan-

---

[1]) Did. magna, Kap. II, 4.
[2]) Did. magna, Kap. XV, 8.
[3]) Schola ludus, II. Teil, 2. Aufzug, 1. Auftritt. S. 73.
[4]) Schola ludus, II. Teil, 2. Aufzug, 4. Auftritt. S. 77. Vergl. auch die „Physik", Kap. X, S. 235: „Sitz und Werkstätte der animalen Geister ist das Gehirn"!

kungen. Im allgemeinen huldigt er der Vermögenstheorie. Er unterscheidet in der Regel drei Hauptvermögen, daneben gelegentlich noch eine Reihe von niederen Geistesvermögen. Da beim Menschen Seele und Geist vorhanden sind, so müssen auch diejenigen Anlagen oder Kräfte, welche ihm als animalem Wesen, als Seele (anima), zukommen, die er also mit den Tieren gemeinsam hat, und diejenigen, welche er als Geistwesen (mens) besitzt, wohl auseinander gehalten werden. Letztere sind die spezifisch menschlichen Vermögen. Es gibt also bei der menschlichen Psyche Kräfte der Seele und Kräfte des Geistes.

a) Die Kräfte der Seele. Als animales (oder see= lisches) Wesen hat der Mensch Empfindungen. Diese werden durch die Sinne vermittelt, die als Organe der Seele gleichsam Späher und Kundschafter sind[1]. Es gibt äußere und innere Sinne. Die Tätigkeit der äußeren Sinne (Gesicht, Gehör ꝛc.) ist an die Tätigkeit der Sinnes= werkzeuge gebunden. Bei jeder Empfindung findet eine Be= rührung in den Sinneswerkzeugen statt[2]. Die drei inneren Sinne sind: Der Verstand, der seinen Sitz unter dem vorderen Schädel hat, die Einbildungskraft unter dem Scheitel und das Gedächtnis unter dem hintern Schädel. Dort steht die Seele gleichsam auf der Warte und nimmt sich ein Bild ab von jedem gesehenen, gehörten, gerochenen, geschmeckten und befühlten Dinge. Hier unterscheidet sie durch Betrachtung; hier wieder verwahrt sie jene Bilder für die Zukunft und holt sie bei Gelegenheit hervor. Die Aufgabe des Verstandes ist also das Aufmerken, die der Ein= bildungskraft das Vergegenwärtigen und die des Gedächt= nisses des Gedenkens oder, wenn man etwas vergessen hat, des Sich=wieder=besinnens. Der Schlaf ist eine Ruhe der Sinne[3]. Die Kraft der Seele bewirkt auch die Be= wegung von einem Orte zum andern, indem sie die Nerven

---

[1] Didactica magna, Kap. V, 6.
[2] Physik, Kap. IX, S. 259.
[3] Schola ludus, II. Teil, 2. Aufzug, 4. Auftritt. S. 79. — Vergl. auch im Orbis pictus Bild XLI. „Äußerliche und innerliche Sinnen"!

durchläuft, die Muskeln schwellt und so die Sehne bald spannt, bald zurückzieht. Diesem Anspannen und Nachlassen entspricht die Bewegung des Gliedes.

b) Die Kräfte des Geistes. Äußere und innere Sinne besitzt auch das Tier. In dieser Beziehung ist zwischen Mensch und Tier nur ein gradueller Unterschied vorhanden. Weil die Seele dem Menschen reichlicher und reiner gegeben worden ist, so zeichnet er sich vor dem Tiere durch schärfere Aufmerksamkeit, stärkere Einbildungskraft, haftenderes Gedächtnis und heftigere Erregung aus[1]). Aber weil mit Hilfe der äußeren und inneren Sinne nur die gegenwärtigen Gegenstände wahrgenommen werden können und zwar bloß ihre Oberfläche, so hat Gott dem Menschen noch den Geist gegeben, d. h. das Vermögen zu denken oder die Vernunft, um auf dem Wege des Denkens auch zu entfernten Dingen zu dringen, verborgene zu ergründen, zukünftige voraus= zuahnen, nach freiem Entschlusse das erkannte Gute zu er= streben und mit Mut das Begehrte zu wagen. Mit anderen Worten: der menschliche Geist besitzt Vernunft, welche auf die Erkenntnis der Dinge ausgeht, den Willen, der nach dem Guten strebt und uns zu einer Wahl zwischen den Dingen bestimmt, und das Gemüt oder das Vermögen, Erwähltes zu erstreben, welches die Herrschaft über die Dinge zu erlangen sucht. So die Einteilung in der Schola ludus[2]).

Nach der „Physik" (Kap. XI) sind die menschlichen Geistesfähigkeiten Einsicht, Wille und Bewußtsein oder Gewissen. Die Einsicht (intellectus) beschaut einen Gegen= stand, erkennt zuerst, daß es irgend etwas ist; dann erforscht sie, was es ist, und wie es sich von anderm unterscheidet. Die Einsicht beginnt mit den Allgemeinheiten und endet mit den Einzelheiten, so daß Aristoteles im Unrecht ist, wenn er sagt, die Sinneswahrnehmung beziehe sich auf das Ein= zelne, die Einsicht auf das Allgemeine[1]). Der Wille ist

---

[1]) Physik, Kap. XI.
[2]) Schola ludus, II. Teil, 2. Aufzug, 5. Auftritt. S. 80.

die Fähigkeit der vernünftigen Seele, sich dem vorher er=
kannten Guten zuzuwenden, von dem vorausgesehenen Übel
abzuwenden. Wozu nämlich der Wille sich neigt, das leistet
die Seele. Der Wille aber neigt sich dahin, wohin die
Einsicht ihn führt[2]). Wenn alle Menschen in gleicher Weise
Einsicht hätten, würden sie auch das Gleiche wollen und
nicht wollen. Die Verschiedenheit des Willens beweist die
Verschiedenheit der Einsicht[3]). Das Bewußtsein oder Ge=
wissen ist die einsichtsvolle Erinnerung an das, was die
Vernunft als zu tun und zu meiden vorschreibt. Es übt
eine dreifache Tätigkeit aus, nämlich: Ermahnen, Bezeugen
und Richten.

In dem „Ausgang aus den Schullabyrinthen"
(Abschn. 27) werden Verstand, Wille und die Fähigkeit
zu handeln als die auszubildenden menschlichen Anlagen
bezeichnet (mens, voluntas et facultates operativae). Ähn=
lich heißt es in der Panegersia: Der menschliche Geist
hat ein dreifaches Vermögen: zu erkennen, zu wollen und
zur Ausführung zu bringen. Die drei angebornen Grund=
lagen der Erkenntnis, des Willens und des Ausführens sind
die Pandekten der in uns niedergelegten göttlichen Weisheit[4]).

Die Didactica magna[5]) endlich nennt Erkenntnis=,
Willens= und Erinnerungsvermögen als die drei Stücke,
welche zum Wesen der menschlichen Seele gehören. Aus
ihnen leitet Comenius die drei Unterziele der Erziehung ab:
Bildung, Tugend und Frömmigkeit. Er erläutert seine dies=
bezügliche Lehre durch die Vergleichung mit einem Uhrwerke.
Der Wille ist in den Bewegungen der Seele das Haupt=
rad; die treibenden Gewichte sind die Wünsche und Gefühle;

---

[1]) Ein Irrtum des Comenius. Des Aristoteles Lehre entspricht
dem modernen Satze: Von der Wahrnehmung (dem Einzelnen) zum
Begriff (dem Allgemeinen).

[2]) Über die intellektualistische Ethik des Comenius siehe unten
S. 35 u. S. 68!

[3]) Hieraus erklärt sich die Überzeugung des Comenius, durch die
Lehre der Pansophie die verlorene Einheit der Religion und der Mensch=
heit überhaupt wiederherstellen zu können.

[4]) Siehe Comenius II, S. 22 u. 34!

[5]) Did. magna, Kap. X, 7.

das Perpendikel ist die Vernunft, welche ausmißt und fest=
setzt, was, wo, wieweit festgehalten und geflohen werden soll[1]).

2. Ursprung und Verschiedenheit der mensch=
lichen Vermögen. Auch inbezug auf die Frage, ob der
Seele die Anlagen angeboren seien, nimmt Comenius
eine schwankende Stellung ein[2]). Nach verschiedenen seiner
Auslassungen muß man annehmen, daß er angeborene An=
lagen voraussetzt. So lehrt er z. B. in der Didactica
magna (Kap. VI, 1), daß die menschliche Natur die Samen
der Wissenschaft, Sittlichkeit und Religiosität enthalte. Oder
er vergleicht den Verstand des Menschen mit einem Samen=
korn, in dem der Anlage nach bereits die ganze Pflanze in
allen ihren Teilen vorhanden sei[3]). Hieraus folgt, daß es
nicht nötig ist, in den Menschen etwas von außen hinein=
zutragen. Der Mann braucht nur das, was er in sich ein=
gehüllt besitzt, herauszuschälen, zu entfalten und die Be=
deutung jedes einzelnen Momentes nachzuweisen[3]). Der
Mensch ist also ein Mikrokosmus, eine Welt im Kleinen,
die in ihrer Umhüllung alles befaßt, was weit und breit im
Makrokosmus ausgebreitet sichtbar ist[3]).

Anderseits findet man in Comenius' Werken mehrere
Ausführungen, welche einer Annahme von Seelenvermögen
schnurstracks widersprechen. Er vergleicht z. B. den Ver=
stand des Menschen mit einer tabula rasa. Wie ein kunst=
verständiger Schreiber auf einer leeren Tafel alles, was er
wolle, schreiben könne, ebenso leicht sei es für denjenigen,
der die Kunst des Lehrens kenne, in dem menschlichen Geiste
alles einzuschreiben[4]). Oder unser Gehirn, die Werkstätte
der Gedanken, gleicht dem Wachs, auf das ein Siegel ge=
drückt wird. Der Verstand ist einem Auge oder einem
Spiegel zu vergleichen 2c.[4]). Mit Vorliebe vergleicht auch
Comenius die Mitteilung des Unterrichtsstoffes mit einer
lebendigen Buchdruckerei[5]). Diese und ähnliche Vergleiche

---

[1]) Did. magna, Kap. V, 16.
[2]) Vergl. Hähner, Natur und Naturgemäßheit 2c. S. 82. Scherer,
a. a. O. S. 258.
[3]) Didactica magna V, 5.
[4]) Siehe Did. magna, Kap. V, 9, 10 u. 12; ferner „Ausgang
aus den Schullabyrinthen", Abschn. 29!
[5]) Siehe Did. magna, Kap. XXXII; Comenius III, Seite 61!

haben nur dann Berechtigung, wenn man sich die Seele bei der Aufnahme neuer Eindrücke rein passiv denkt. Die heutige Psychologie, insbesondere die voluntaristische, vertritt dagegen mit Recht die Lehre von der Spontaneität der Seele, d. h. die Seele ist der sog. Außenwelt gegenüber nicht passiv, sondern begegnet ihr ihrerseits aktiv[1]). Diese Spontaneität oder Aktivität der Seele hat Comenius im Auge in den zuerst angeführten Stellen, nach welchen die in der Menschennatur liegenden Anlagen nur entwickelt zu werden brauchen. Die Passivität der Seele lehrt er durch die zuletzt genannten Vergleichungen. Eine Verschmelzung beider Begriffe hat er nicht versucht[2]).

Die menschlichen Anlagen und Fähigkeiten sind, wie auch Comenius zugestehen muß, verschieden. Er hat sogar einen Versuch gemacht, die Menschen in dieser Hinsicht in sechs Klassen einzuteilen. Er unterscheidet 1. Scharfsinnige, Wißbegierige und Fügsame, 2. Scharfsinnige, aber

[1]) Über das Verhältnis von Seele und Ding, Außenwelt und Innenwelt vergl. Kerrl, Lehre von der Aufmerksamkeit, S. 19—26! Verlag Bertelsmann, Gütersloh. Über den Begriff der Apperzeption im Sinne einer spontanen Tätigkeit siehe daselbst die Anmerkung auf S. 33 und S. 181—199!

[2]) Die Frage nach angeborenen Anlagen ist in der neueren Psychologie viel umstritten, aber gegenwärtig wohl zu Ungunsten Herbarts, der angeborene Anlagen leugnete, entschieden worden. Hält man fest, daß die Ausdrücke, „Anlagen", „Vermögen" oder „Kräfte" der Seele erkenntnistheoretisch nichts anderes als die „Möglichkeit" der geistigen Entwickelung bezeichnen können, so kann wohl kaum bezweifelt werden, daß „Anlagen" in diesem Sinne der Seele angeboren sein müssen. Dagegen ist die Ansicht zu bekämpfen, als ob mit den angeborenen Anlagen, z. B. des Denkens und Wollens, bereits ein bestimmter Seeleninhalt gegeben sei, wie es z. B. geschieht, wenn man der Seele angeborene Ideen zuschreibt. Denn irgendein Bewußtseinsinhalt ohne Erfahrung ist undenkbar. Diese Annahme widerspricht den Tatsachen und führt in das Reich des Transzendenten. Vergl. z. B. die Begründung der Ideenlehre Platos, u. a. seine Auffassung, daß alles Vorstellen ein Wiedererinnern desjenigen sei, was die präexistente Seele schon vorher als Bewußtseinsinhalt gehabt habe! — Was bedeutet der berühmte Ausspruch Kants in seiner „Kritik der reinen Vernunft": „Daß alle unsere Erkenntnis mit der Erfahrung anfange, daran ist gar kein Zweifel. Wenn aber gleich alle unsere Erkenntnis mit der Erfahrung anhebt, so entspringt sie doch nicht eben alle aus der Erfahrung"? Vergl. Rehmke, Gesch. der Philos. S. 231!

Langsame, doch Willfährige 2c.[1]). Bemerkenswert ist, daß er diese Verschiedenheit physiologisch erklärt. Geistiger Stumpfsinn hat z. B. seine Ursache in der klebrigen Dicke und Unklarheit der Nerven im Gehirn. Aber weil sein Bestreben darauf gerichtet war, die Möglichkeit einer (allgemein gültigen) (für alle) anwendbaren Methode darzutun, diesem Bemühen aber (die offenbar vorhandenen geistigen Unterschiede) entgegenstanden, so suchte er die Bedeutung dieser Tatsache durch seine Erklärung möglichst abzuschwächen. Die Verschiedenheit der seelischen Anlagen erscheint ihm als eine Verirrung der Natur und als ein Mangel der natürlichen Harmonie. Sie sind in gleicher Weise Verirrungen wie die Krankheiten des Körpers, die infolge zu großer Feuchtigkeit oder Trockenheit, Wärme oder Kälte entstehen. Für diese Fehler des menschlichen Geistes ist das passendste Heilmittel eine solche Methode, durch welche die geistigen Verirrungen und Mängel gemildert und alles zur Harmonie und zu einem lieblichen Einklang richtig abgestimmt wird[2]). Comenius hat also weder Wesen noch Bedeutung der Individualität richtig beurteilt.

3. Die Entwickelung der menschlichen Anlagen. Dagegen hat Comenius die Entwickelungsfähigkeit der menschlichen Seele durchaus gewürdigt. Auf ihr beruht ja auch die Möglichkeit, durch Erziehung und Unterricht den Geist des Menschen zu höherer Vollkommenheit zu bringen. Die menschlichen Kräfte sind einer endlosen Steigerung fähig. Unser Wesen schreitet stufenweise vor; jede voraufgehende Stufe bahnt der nachfolgenden den Weg. Der Mensch ist ein Abbild und Gleichnis Gottes, sein Wissen ein Abglanz der göttlichen Allwissenheit. Etwas Unendliches und Unbegrenztes ist ihm eigen. Unser Verstand ist größer als die Welt, in gleicher Weise wie das Umfassende notwendig größer ist als das Umfaßte. Diese unendliche Fassungskraft unseres Verstandes ist ein Wunder Gottes. Die für die Entwickelung des Geistes günstigste Zeit ist die Jugend; daher muß das Lernen in der Jugend geschehen[3]).

---

[1]) Siehe Did. magna, Kap. XII, 18. Comenius II, S. 32!
[2]) Siehe Did. magna, Kap. XII, 29!
[3]) Siehe Didactica magna, Kap. II, 5; III, 2; IV, 1; V, 4 und 11; VII!

c. Die physiologische Grundlage des Comenius.

Es dürfte im Zeitalter der physiologischen Psychologie nicht uninteressant sein, auf die der Seelenlehre des Comenius zugrunde liegenden physiologischen Lehren kurz hinzuweisen. So unvollkommen sie natürlich noch sind, so naiv und kindlich sie unseren naturwissenschaftlichen Kenntnissen gegenüber erscheinen, so sind doch manche seiner physiologischen Ansichten ihrer Idee nach noch heute gültig. Wir finden die Physiologie am eingehendsten im X. und XI. Kapitel der „Physik" und im II. Schauspiel der Schola ludus.

Wie bereits (S. 2 u. 25) dargestellt worden ist, wirkt der göttliche Weltgeist (spiritus mundi) in dem Menschen als natürlicher, lebendiger, tierischer und verständiger Geist (als spiritus naturalis, vitalis, animalis, mentalis). Das bewegende Prinzip im tierischen Organismus ist die lebendige Seele (sp. vitalis). Vermöge der Wirkung des animalen Geistes hat der Mensch äußere und innere Empfindungen. Seinen Sitz und seine Werkstätte hat er im Gehirn. Hier sitzt nicht bloß die größte Menge jenes Geistes, sondern der ganze animale Geist wird dort erzeugt. Die animalen Geister werden 1. aus dem Blut und dem Vitalgeist erzeugt, 2. durch den Luftzug des Atmens geläutert, 3. durch die Nerven dem ganzen Körper mitgeteilt und 4. durch Nasen, Ohren (als Schleim und Tränen) als Gehirnexkremente ausgeschieden. Bei jeder Sinnesempfindung findet eine Berührung in den Sinnesorganen statt. In der Schola ludus beschreibt er den Vorgang der Sinnesempfindungen in folgender Weise: Der Sitz der Seelenkräfte ist im Gehirn. Von da laufen jene zu den Ohren, Augen, zur Nase, Zunge und durch den ganzen Körper und bewirken, daß alles, was uns entgegentritt, nach seiner Beschaffenheit wahrgenommen wird. Denn ob etwas warm oder kalt ist, wird man durch Berührung erfahren ꝛc. Das Gehirn z. B. hat seine Werkstatt in den Ohren, wo die Seele die Töne unterscheidet, d. h. die Bewegungen der Luft ringsum, welche zu den Gehörwerkzeugen dringen und daselbst eine andere Schwingung durch Geschrei, eine andere durch Zischeln usw. erregen.

Auch die inneren Empfindungen sind physiologisch bedingt. Wie schon oben gesagt, hat der Verstand seinen Sitz

in dem unter dem vorderen Schädel liegenden Gehirnteile,
die Einbildungskraft in dem unter dem Scheitel, das Ge=
dächtnis in dem unter dem hintern Schädel. Das Vor=
stellungsvermögen hat darin seinen Grund, daß das dem
Wachse zu vergleichende Gehirn Bilder von allen Dingen
aufnimmt und in sich alles einnimmt, was die gesamte Welt
enthält. Mittels des Gesichts, Gehörs, Geruchs, Geschmacks
und Gefühls prägt sich das Bild der Sache dem Gehirn
ein und zwar in dem Grade, daß, wenn die Sache von den
Augen, Ohren, der Nase, der Hand entfernt ist, doch ihr
Bild bleibt, so daß, so oft die Erinnerung daran kommt,
es ganz ebenso ist, als ob es jetzt vor Augen stände, im
Ohre wiederhallte, geschmeckt oder gegriffen würde[1].

Für die Erkenntnis des Comenius, daß das Wirken
der Seele durch physiologische Vorgänge bedingt ist, spricht
auch die Stelle, wo er von der Notwendigkeit des Schlafes
handelt. Wenn die Seele durch viele Geschäfte ermüdet ist,
so sucht sie zu ruhen. Wenn sie alle Sitze, von denen aus
sie wahrnimmt, verlassen hat und sich in ihr Inneres zurück=
zieht, so ihren Fenstern abgekehrt, nichts von dem merkt,
was um sie her geschieht, so nennen wir dies Schlaf. So
ist Schlafen nichts anderes, als die Sinne von äußerer
Tätigkeit ausruhen lassen zu dem Zwecke, daß die ermüdeten
und zerstreuten und zerarbeiteten Seelenkräfte sich unter=
einander wieder sammeln. Die Naturkraft (naturalis spiritus) nämlich hat dann am meisten Zeit zur Verdauung;
die Lebenskraft (sp. animalis) erfrischt sich im Gehirn,
durchläuft ihre Zellen und nimmt die Bilder, auf welche
sie trifft, wieder zur Betrachtung auf. Das nennen wir
Traum. Ein mäßiger und rechtzeitiger Schlaf stärkt, weil
er die Kräfte vermehrt[2].

In der Lehre von den Temperamenten macht sich
Comenius die Lehre des Hippokrates zueigen. Die Ver=
änderung der Nahrung geschieht hauptsächlich, indem vier
Lebenssäfte erzeugt werden: Blut, Schleim, gelbe und

---

[1] Siehe Did. magna, Kap. V, 10! — Vergl. die Lehre der
neueren Psychologie, wonach die Vorstellungsmöglichkeit auf beharrende
Gehirnveränderung zurückzuführen ist! Rehmke, Allg. Psychol. § 31.
[2] Schola ludus, II. Teil, 2. Aufzug, 4. Auftritt. S. 79.

ſchwarze Galle[1]). Je nach dem Vorwiegen eines Saftes iſt
uns eine verſchiedene Gemütsart eigen, ſo daß die einen
ſanguiniſch, die warmblütigen und lebhaften, die anderen
choleriſch, die warm=trockenen und heftigen, die anderen phleg=
matiſch, die kaltfeuchten und trägen, die anderen melancho=
liſch genannt werden, die kalt=trockenen und traurigen[2]).

Daß die Verſchiedenheit der Anlagen (Indivi=
dualität) von Comenius ebenfalls phyſiologiſch erklärt wird,
iſt ſchon oben (S. 31) erwähnt worden.

2. Die ethiſche Grundlage des comenianiſchen
Syſtems.

Ohne Ethik iſt ein pädagogiſches Syſtem, eine tiefere
Erfaſſung der erziehlichen Aufgabe undenkbar. Es iſt daher
begreiflich, daß auch Comenius ſeine Pädagogik ethiſch zu
begründen trachtete. Aber eine wiſſenſchaftlich aufgebaute,
eine ſyſtematiſch bearbeitete Ethik darf man von ihm nicht
erwarten. Vielmehr finden ſich auch die ethiſchen Lehren
zerſtreut in ſeinen pädagogiſchen Werken, beſonders an den
Stellen, wo er von den Zielen der (ſittlichen) Erziehung
ſpricht.

a) Der Begriff der Tugend.

α) Der religiöſe Charakter der Ethik des Co=
menius. Comenius war wie die Scholaſtiker überzeugt
von der Vereinbarkeit des Glaubens und Wiſſens. Darum
kennt er im Grunde nur eine religiöſe oder theologiſche
Ethik und ſetzt Frömmigkeit und Tugend in engſte Be=
ziehung[3]). Die chriſtliche Ethik beſtimmt das Ziel der Er=
ziehung. Das oberſte Ziel des Menſchen iſt die ewige
Seligkeit[4]); hier auf der Erde ſind wir Gäſte und Pilgrime.
Sittlichkeit nnd Gottesfurcht ſind die höchſten Güter der
Menſchheit[5]). Gott ſuchen mit dem Verſtande, Gott nach=
folgen mit dem Willen und ſich Gottes freuen mit der Luſt

---

[1]) „Phyſik", Kap. X, S. 241.
[2]) Schola ludus, II. Teil, 2. Aufzug, 1. Auftritt. S. 73.
[3]) Vergl. Römer 1, wo Paulus Gottloſigkeit und Ungerechtigkeit,
alſo religiöſe und ſittliche Verkehrtheit als die Urſache des menſchlichen
Verderbens nennt.
[4]) Did. magna, Kap. III, 4.
[5]) Did. magna, XXIII, 1.

des Gefühls, — das sind die Hauptstücke der christlichen
Frömmigkeit oder Tugend[1]). Weil der Mensch zu höheren
Dingen erschaffen ist, soll er Gott gleichförmig werden an
Tugenden[2]). Zu den Menschen als zu seinen Ebenbildern
spricht Gott: „Ihr sollt heilig sein; denn ich bin heilig[3])!"

β) Die Harmonie als Grundlage der Tugend.
Die Grundlage der Tugend ist die Harmonie. Sie ist dem
Menschen angeboren. Das sieht man daran, daß sich jeder
Mensch der Harmonie freut und selbst von innen und außen
nichts als Harmonie ist. Diese ist zwar durch die Sünde
zerstört worden; aber mit göttlicher Hilfe kann sie durch
zuverlässige Mittel wiederhergestellt werden[4]). Es geschieht,
wenn den Wünschen und Leidenschaften kein zu großes Ge=
wicht beigelegt wird, wenn die Vernunft richtige Schlüsse
zieht. Dann muß Harmonie und Zusammenstellung der
Tugenden sich ergeben, nämlich eine schickliche Mischung der
Handlungen und Leidenschaften. Unsittliche Handlungen
dagegen rufen eine Spaltung und Störung der Harmonie
hervor[5]).

γ) Der intellektualistische Charakter der comenia=
nischen Ethik. Die Wurzel der Sittlichkeit ist dem Menschen
angeboren[6]), ebenso wie die der Bildung und Frömmigkeit.
Die psychologische Grundlage der Moralität ist der Wille.
Wie der Verstand das Wahre sucht, so der Wille das Gute[7]).
Wenn daher der Mensch einsicht, daß alles, was man ihn
lehrt nicht nur wahr sei, sondern auch gut, d. h. sittlich, nütz=
lich, angenehm, so wird sein Wille sich alsbald dem Gutem
hinneigen[8]). Der Wille ist die Fähigkeit der Seele, sich dem
vorher erkannten Guten zuzuwenden, von dem voraus=
gesehenen Übel abzuwenden. Er neigt dahin, wohin die Ein=
sicht ihn führt. Er erzeugt, wenn er dem wirklich Guten klug
folgt und das wirklich Böse klug meidet, Tugend, sonst aber
Laster. Tugend ist daher die kluge und beständige Flucht

---

[1]) Did. magna, XXIV, 2.
[2]) Informatorium maternum II, 2.
[3]) Did. magna, IV, 5.
[4]) Did. magna, V, 14—25.
[5]) Did. magna, XXIII, 3.
[6]) Did. magna, V, 13.
[7]) Did. magna, X.
[8]) Vergl. „Ausgang aus den Schullabyrinthen", Abschn. 40, I—XI!

vor dem Bösen und die Erfassung des Guten. Das Ge=
wissen aber ist die einsichtsvolle Erinnerung an das, was
die Vernunft als zu tun und zu meiden vorschreibt; es er=
mahnt, bezeugt und richtet[1]. Comenius ist also der Ansicht,
die wir auch schon bei Sokrates[2] finden, daß die Tugend
allein auf dem Wissen dessen, was gut sei, beruhe. Wer
das Gute kenne, der wolle auch das Gute. Die Tugend
werde also durch Vermittlung der Einsicht erzielt. Die
Ethik des Comenius hat also einen ausgeprägt intellektua=
listischen (rationalistischen) Charakter.

b) Die Einteilung der Tugenden.

α) Bürgerliche Tugenden. Von der Tugend im
allgemeinen sind die einzelnen Tugenden zu unterscheiden.
In der Didactica magna (XIII) nennt Comenius als
Kardinaltugenden Klugheit, Mäßigkeit, Stärke und Gerechtig=
keit, also diejenigen, welche schon Plato als zur Tugend
(ἀρετή) gehörig bezeichnet hatte[3]. Außerdem hebt er, was
für ihn charakteristisch ist, noch als höchst erstrebenswerte
Tugend hervor die Bereitwilligkeit, anderen zu dienen.

β) Christliche Tugenden. Neben diesen vier heid=
nischen Tugenden sind Glaube, Hoffnung und Liebe als
spezifisch christliche Tugenden zu erstreben. Auch kommt es
darauf an, praktische und nicht bloß theoretische Christen zu
erziehen[4]. Daß Comenius insbesondere den Weg des
Kreuzes als den Führer zum Leben empfiehlt, ist wieder im
Hinblick auf sein „lasten=“ und leidenvolles Leben be=
zeichnend[5].

---

[1] Physik, XIX. S. 309.
[2] Siehe Rehmke, Gesch. der Philos., S. 25!
[3] Vergl. Rehmke, Gesch. der Philos., S. 38!
[4] Did. magna, XXIV, 22.
[5] Vergl. auch die Aufzählung der den Kindern zu vermittelnden
Tugenden im Inf. maternum, II, 7 und IX, 8—21; ferner Did.
magna. XXVIII, 20! Wertvolle Ergänzungen zur Ethik des Come=
nius enthalten auch die für die Schule in Saros Patak verfaßten
„Sittenvorschriften“ und der „Fortius redivivus“. Siehe Band XI
der „Pädag. Bibliothek“ von K. Richter, Seite 212 ff. u. S. 237 ff.;
Comenius II, S. 55!

c) **Die Bedeutung der Tugend.**

α) **Die Bedeutung für jeden Menschen selbst.** Die Moralität ist für jeden einzelnen Menschen ein großes Gut. Lust in sich selbst ist jene so süße Unterhaltung, in welcher der der Tugend ergebene Mensch sich freut über seine eigene innere gute Verfassung, da er zu allem, was die Ordnung der Gerechtigkeit verlangt, sich bereit findet. „Ein gutes Gewissen ist ein fortwährendes Gastmahl" [1]).

β) **Die Bedeutung für den Nächsten.** Die Tugend soll aber auch in den Dienst des Nächsten gestellt werden. „Wenn wir Gott, dem Nächsten und uns selbst dienen wollen, so müssen wir mit Rücksicht auf Gott die Frömmig= keit, mit Rücksicht auf den Nächsten die Sittlichkeit und Tugend, mit Rücksicht auf uns selbst die Wissenschaft be= sitzen. Gleichwohl ist das alles so miteinander verbunden, daß in gleicher Weise wie ein Mensch für sich nicht bloß klug, sondern auch sittlich und fromm sein muß, so auch zum Nutz des Nächsten nicht bloß gute Sitten, sondern auch Wissenschaft und Frömmigkeit dienen müssen" [2]).

γ) **Die Bedeutung für die Menschheit.** Die Tugend steht aber auch mit den höchsten Zielen der Menschen= bildung im Zusammenhang. Sie gehört nicht nur zum Wesen der menschlichen Natur [3]); ohne sie ist auch das höchste Ziel menschlichen Strebens unerreichbar. Denn die Grundlage aller sowohl zu schaffenden als zu erkennenden Wesen ist die Harmonie [4]). Da nun die Tugend auf der Harmonie beruht, so begreift sich, daß die wiederherzu= stellende Einheit und Eintracht, welche die Vorbedingung für die Glückseligkeit der Menschen ist, nicht verwirklicht werden kann ohne die durch das Wissen vermittelte Sitt= lichkeit [5]).

Zusatz. Nicht recht vereinbar mit diesen menschheit= lichen ethischen Zielen ist der dem comenianischen System eigene **utilitaristische Zug.** Mit Recht sagt Hähner [6]):

---

[1]) Did. magna, X, 13.
[2]) Did. magna, X, 9.
[3]) Did. magna, IV, 7.
[4]) Prodromus pansophiae, Comenius II, S. 18.
[5]) Panegersia, Band XI der „Päd. Bibliothek" von K. Richter, S. 312. Comenius II, S. 32.
[6]) Hähner, a. a. O. S. 84.

„Neben der auf Bildung aller Anlagen sich gründenden abstrakten Humanitätsbildung läuft ziemlich unvermittelt in Comenius Schriften ein ausgeprägter Utilitarismus mit der Forderung, alles nur für die Zwecke dieses und des zukünftigen Lebens zu lernen". Es soll z. B. die Tugend ihn befähigen, Herr der Geschöpfe zu sein, d. h. dadurch, daß er alles nach seinem gehörigen Zweck anordnet, soll er es auf nützliche Weise zu seinem eigenen Vorteil verwenden[1]. Aber dieser Utilitarismus des Comenius erhebt sich gerade dadurch über die nüchterne und seichte Nützlichkeitspädagogik der Rationalisten Basedow, Campe u. a., daß er sie mit den hohen Zielen einer christlichen Ethik in Verbindung bringt[2].

---

[1] Did. magna, IV, 4. Comenius III, S. 19.
[2] über den Utilitarismus siehe oben S. 11 u. 21!

B. Die Pädagogik des Comenius in fystematifcher Darftellung.

I. Die hiſtoriſche Pädagogik des Comenius.

Allerdings findet ſich in den Werken des Comenius keine zuſammenhängende Darſtellung der Geſchichte der Pädagogik. Nur an einer Stelle der Didactica magna (VIII, 3) gibt er in ganz kurzem Umriß eine Geſchichte der Schulen von der Sündflut an bis auf die Zeit Karls des Großen. Dennoch iſt er mit den pädagogiſchen Anſichten früherer Zeiten aufs beſte vertraut. Seine Beleſenheit in den Schriften älterer und jüngerer Zeit iſt wahrhaft staunen= erregend. Es iſt faſt unmöglich, alle die Männer zu nennen, deren Schriften er ſtudiert hat, um als Eklektiker das für ſein Syſtem Brauchbare zu verwenden[1]. Nur inbezug auf die Didactica magna ſeien einige der noch heute bekannten Autoren hervorgehoben, um einen Beweis für die fleißige, gründliche und ſorgfältige Weiſe ſeiner ſchriftſtelleriſchen pädagogiſchen Arbeit zu geben[2].

1. Theologiſche Quellen.

a) Die Bibel. Da nach der (ſcholaſtiſchen) Anſicht des Comenius die Bibel nicht bloß ein religiöſes Buch, ſondern auch die ſicherſte Quelle der wiſſenſchaftlichen Er= kenntnis[3] iſt, ſo iſt begreiflich, daß er ſie auch als eine hervorragende Quelle pädagogiſcher Weisheit angeſehen hat. Er leitet z. B. die Unterziele der Erziehung aus Geneſis 1,26 (Laſſet uns Menſchen machen 2c.) ab[4]. Er weiſt hin

---

[1] Vergl. in dieſer Beziehung Comenius mit Peſtalozzi!
[2] Vergl. auch Comenius I, S. 28 ff. Vorgänger und Quellen des Comenius!
[3] Siehe oben S. 8!
[4] Did. magna, IV, 1.

auf Christus, der an Weisheit, Alter und Gnade bei Gott und den Menschen zugenommen und darin ein Vorbild für uns Menschen zur Erlangung von Weisheit, Tugend und Frömmigkeit geworden sei[1]. Er erinnert an den Befehl Gottes an die Eltern, ihre Kinde rrecht zu erziehen[2]. Auch die in den Büchern Salomonis enthaltene Weisheit nützt er verschiedentlich für seine Pädagogik aus, z. B. dort, wo er den hohen Wert der Tugend und der Frömmigkeit preist[3].

b) Kirchenväter und Kirchenschriftsteller. Die Schriftsteller der Kirche hat Comenius fleißig benutzt. Er zitiert u. a. des Chrysostomus Ansicht, daß alles, was wir zu lernen oder nicht zu lernen brauchen, aus der heiligen Schrift zu ersehen sei[4]. Er erinnert an des Hiero= nymus Warnung von der heidnischen Poesie[5]. Er kennt das Wort Gregors von Nazianz über die Schwierigkeit der Erziehung: „Die Kunst der Künste ist den Menschen zu leiten, das vielseitigste und veränderlichste, am schwierigsten zu behandelnde aller Wesen"[6]. Auch der Kirchenvater Augustin wird öfters erwähnt, so z. B. dessen bekanntes Wort: „Es gibt in der Schrift allerdings Tiefen, aber solche, in denen Elefanten untergehen und Lämmer schwimmen"[7]. Den Mystiker Bernhard führt er als Zeugen für den Rea= lismus ins Feld; schon dieser habe bezeugt, daß einige, die Eichen und Buchen als Lehrer hatten, in ihrer Bildung weiter gekommen seien als andere im mühseligen Unterrichte der Lehrmeister[8].

c) Die Reformatoren. Auch die Bemühungen der Reformatoren um Verbesserung des Schulwesens kennt und verwertet Comenius. Luthers bekannte Schrift „An die Bürgermeister und Ratsherren aller Städte deutschen Landes"

---

[1] Did. magna, X, 15.
[2] VIII, 1.
[3] X, 17.
[4] Did. magna, XXV, 5. — Chrysostomus, Bischof von Kon= stantinopel, gest. 407. Ausgezeichneter Kanzelredner.
[5] Did. magna, XXV, 14. Hieronymus, Gegner des Origenes, gest. 420 in Palästina.
[6] Did. magna, Gruß an die Leser, 6. Gregor von Nazianz, Kirchenvater im 4. Jahrh. zu Kappadocien.
[7] Did. magna, XXV, 25.
[8] Did. magna, V, 8.

wird von ihm rühmend erwähnt[1]. Melanchthons Autorität wird mehrfach herangezogen, so z. B. in Kap. XXV zur Bestätigung des abfälligen Urteils über den sittlichen Bildungsinhalt der griechischen und römischen Klassiker. Im „Gruß an die Leser zitiert er Melanchthons Wort: „Die Jugend recht bilden, sei etwas mehr, als Troja zu erobern".

d) Die Jesuiten. Auch bei den damals durch musterhafte Schuleinrichtungen sich auszeichnenden Jesuiten ist er in die Schule gegangen. Er rühmt u. a. ein verdienstliches sprachliches Werk des polnischen Jesuiten Gregorius Cnapius; dieser habe einen polnisch-lateinisch-griechischen Thesaurus herausgegeben und dadurch seinem Volk einen ausgezeichneten Dienst geleistet[2].

2. Philosophische Quellen.

a) Griechische und römische Philosophen. Obgleich Comenius gelegentlich scharf gegen die heidnischen Klassiker zu Felde zieht, ist er gerecht genug, ihre vielfach vortrefflichen Gedanken über Erziehung anzuerkennen. Er preist des Sokrates Verdienst um die Philosophie, das darin bestehe, daß er die Philosophie von den kahlen und spitzfindigen Erörterungen hinweg in das Gebiet der Sitten hinübergeführt habe[3]. Auch habe dieser die hohe Bedeutung des Erzieherberufes erkannt. Um dem Staate durch Erziehung der Jugend sich nützlich zu erweisen, habe er die Bekleidung eines öffentlichen Amtes ausgeschlagen[4]. Plato wird als Zeuge für die Wahrheit des Satzes herangezogen, daß dem Menschen ein Streben nach dem höchsten Gute, welches Gott heiße, innewohne[5]. Für die Notwendigkeit der Erziehung führt er dessen Ausspruch an: „Der Mensch ist das zahmste und göttlichste Tier, wenn er durch richtige Zucht gezähmt worden ist, wenn aber durch keine oder falsche, so ist er das wildeste aller Erzeugnisse der Erde"[6].

---

[1] Did. magna, XI, 3.
[2] Did. magna, XVIII, 25 u. XXII, 25. Vergl. auch die Janua der Jesuiten, welche Comenius während der Bearbeitung seiner „Sprachenpforte" kennen lernte. Comenius II, S. 54!
[3] Did. magna, XXIV, 24.
[4] XXXIII, 14.
[5] Did. magna, V, 20.
[6] Did. magna, VI, 6.

Aristoteles, den Lehrer Alexanders d. Gr., stellt er als das Muster eines vortrefflichen Erziehers hin[1]). Der Ausspruch des Arztes Hippokrates (gest. um 400 v. Chr.): „Kurz ist das Leben, lang ist die Kunst", benutzt er sogar als Grundlage der Gliederung für einen Teil der Didactica magna[2]). Pythagoras ist sein Gewährsmann für die Behauptung, daß dem Menschen natürlich sei, alles zu wissen[3]). Außerdem werden der griechische Redner Isokrates[4]), der Dichter Euripides[5]), der Vertreter der stoischen Philosophie Chrysipp[6]) und noch andere genannt.

Von den römischen Schriftstellern führt er mehrere Male Cicero an. Dieser habe gelehrt, daß die Samen der Tugenden in dem Menschen lägen[7]), daß die Natur die erste Lehrerin der Frömmigkeit sei[8]), daß die Jugend am schnellsten lerne[9]) u. a. Am häufigsten nimmt er auf Seneca Bezug. Von ihm verwendet er u. a. folgende Aussprüche: „Es liegen in uns die Samen aller Künste, und Gott als Lehrmeister zieht die Anlagen aus dem Verborgenen ans Licht"[10]). — „Wir empfangen nicht ein kurzes Leben, sondern wir machen es kurz. Unser Leben ist hinreichend zur Vollbringung der größten Dinge, wenn es nur gut angewandt wird"[11]). — „Wissenschaft, Künste und Sprachen sind nur Anfänge und Elemente der wirklichen Arbeiten; diese letzteren sind das Studium der Weisheit, das uns erhebt, tapfer und hochherzig macht; sie verleihen also Tugend und Frömmigkeit"[12]). Aus Horaz stammt der Vers: „Keiner ist so wild, der nicht gezähmt werden könnte, hielte er nur sein Ohr willig zur Bildung bereit"[13]). Juvenals bekanntes Wort: „Bitten muß man, daß ein gesunder Geist in einem

---

[1]) Did. magna, XXIII, 10.
[2]) XIV, 8.
[3]) V, 5.
[4]) XVII 12. „Wenn du gerne lernst, wirst du viel lernen".
[5]) IX, 7 über weibliche Bildung.
[6]) XXXIII, 15. „Was du nicht weißt, weiß vielleicht ein Eselein".
[7]) Did. magna, V, 13.
[8]) V, 20.
[9]) VII, 55.
[10]) V, 8.
[11]) XV, 1 u. 18.
[12]) XXIII, 1.
[13]) Did. magna, V, 25.

gefunden Leibe wohne" (orandum est, ut sit mens sana in corpore sano) verwendet er in dem Kapitel über die Grundsätze der Lebensverlängerung[1]).

b) Die Humanisten. Auch die vom Humanismus ausgegangenen Anregungen zur Verbesserung des Schul=wesens hat Comenius verwertet. Vives haben wir schon als eine Hauptquelle seiner Pädagogik kennen gelernt[2]). Außerdem kennt er Erasmus von Rotterdam[3]), Petrus, Ramus, Camerarius[4]) u. a.

3. Die Zeitgenossen.

Die einschlägigen Werke seiner Zeitgenossen hat Come=nius gewissenhaft studiert. Die Schriften Bacos[5]) und seines Lehrers Alsted[6]) gaben ihm kräftige Anregung für die Entwickelung seiner pädagogischen Ideen. Er unterhielt einen umfangreichen Briefwechsel mit Personen, von welchen er nützliche pädagogische Ratschläge zu erwarten hoffte. Er schrieb an Ratke und bat ihn um nähere Mitteilung seiner Methode, damit die Menschheit aus ihr Nutzen schöpfen könne[7]). Ebenso erbat er sich öfters den Rat des von ihm in pädagogischen Fragen sehr geschätzten Theologen Val. Andreä[8]).

Zusammenfassung: Die vorstehende Übersicht er=gibt, daß Comenius in der weitgehendsten Weise die ihm zu gebote stehende Literatur benutzt hat, daß gerade vielfach die bedeutsamsten seiner Ideen nicht von ihm selbst gefunden worden sind. Aber niemals verleugnet er seinen Quellen gegenüber die Selbständigkeit seines Denkens. In durchaus freier und genialer Weise baut er aus ihnen ein bewun=dernswertes System der Pädagogik auf und erwirbt sich dadurch einen Ehrenplatz in der Geschichte der Pädagogik als Wissenschaft.

---

[1]) Did. magna, XV, 8.
[2]) Comenius I, Seite 28 f. Did. magna, VIII, 33. XXI, 1. XXIII, 5.
[3]) XXIV,
[4]) VI, 5.
[5]) Comenius I, S. 20.
[6]) Comenius I, S. 33.
[7]) Comenius I, S. 30.
[8]) Comenius I, S. 33.

II. Die systematische Pädagogik des Comenius.

1. Die theoretische Pädagogik.

a) Erziehungslehre.

α) Der Begriff der Erziehung.

1. Eine klare Begriffsbestimmung von Erziehung findet sich in den Schriften des Comenius nicht. Eine besondere Schrift über die Erziehung hat er nicht verfaßt. Die Erziehungslehre ist vielmehr ein Teil der „Großen Unterrichtskunst". Diese umfaßt nach dem Titel eine allgemein gültige Kunst, alle alles zu lehren, ist aber nicht bloß eine Unterrichtslehre im heutigen Sinne, sondern umfaßt ohne scharfe begriffliche Trennung sowohl den Unterricht als auch die Erziehung. Will man auf Grund der besonders in den ersten Kapiteln der Didactica magna enthaltenen Ausführungen eine Definition der Erziehung aufstellen, so ist etwa zu sagen: Erziehung ist die Entwicklung oder Entfaltung der in dem Menschen liegenden Anlagen oder Fähigkeiten zwecks Erreichung seiner irdischen und himmlischen Bestimmung[2]).

2. Die Möglichkeit der Erziehung erörtert Comenius eingehend in Kap. V der Didactica magna. Die Analyse dieses Kapitels ist bereits im III. Teil (S. 20—22) gegeben worden, so daß ein näheres Eingehen auf diesen Begriff hier nicht erforderlich ist.

3. Von der Notwendigkeit der Erziehung handeln das VI. und VII. Kapitel der Didactica magna und das III. Kapitel des Informatoriums der Mutterschule. Gedankengang dieser Ausführungen siehe in Comenius III, S. 23—25 und S. 73 f.[3])!

---

[1]) Rißmann („Das pädag. System des Comenius" S. 23) macht darauf aufmerksam, daß „Did. magna" nicht „Große Unterrichtslehre", sondern besser „Große Lehrkunst" zu übersetzen sei, insofern Comenius das Erziehen tatsächlich im wesentlichen als Lehren auffasse.

[2]) Did. magna, II, V, VI.

[3]) Inwiefern die Nachweise der Möglichkeit und Notwendigkeit der Erziehung mangelhaft sind, darüber siehe unten S. 83—84!

β) Das Ziel der Erziehung.

1. **Das oberste Ziel der Erziehung.** Infolge des eklektischen Charakters der Philosophie des Comenius[1] fehlt seiner Erziehungslehre eine einheitliche Zielbestimmung. Wenn auch die Erlangung der ewigen Seligkeit in der Gemeinschaft mit Gott als das höchste Ziel des Menschen hingestellt worden ist, so lassen sich gleichwohl noch andere Ziele in seiner Pädagogik erkennen, welchen eine ähnliche grundlegende Bedeutung für sein System zuzuschreiben ist. Wie die eklektische Philosophie des Comenius in der Hauptsache drei Grundrichtungen zeigt, so kann man auch eine dreifache Bestimmung des Zieles der Erziehung nachweisen. Die scholastische (theologische oder christliche), die humanistische und die realistische oder utilitaristische Zielbestimmung.

a) **Die theologische oder scholastische Zielbestimmung** ist am klarsten in den ersten vier Kapiteln der Didactica magna niedergelegt und lautet: „Die letzte Bestimmung des Menschen ist die ewige Seligkeit in der Gemeinschaft mit Gott", aeterna beatitudo cum Deo. Der Mensch ist daher zur Gottähnlichkeit und Gottebenbildlichkeit zu erziehen". „Der Mensch, weil er zu höheren Dingen erschaffen ist, soll auch zu höheren Dingen angeführt werden, nämlich daß er Gott, dessen Ebenbild er trägt, gleichförmig werde an Tugenden. Die Seele, weil sie von Gott eingegeben und aus Gott ist, hat auch ihr Leben in Gott und soll sich wieder zu Gott neigen"[2].

b) **Die humanistische Zielbestimmung** besteht in der Forderung, daß der Mensch zum Menschen erzogen werden soll. „Der Mensch, wenn er zum Menschen werden soll, muß gebildet werden", lautet die Überschrift des VI. Kapitels der Did. magna. Die Schulen sollen Werkstätten der Menschlichkeit sein, insofern sie nämlich bewirken, daß der Mensch wirklich zum Menschen werde[3]. Ähnlich lautet die Bestimmung in dem 10. Abschnitt des „Ausgangs aus den scholastischen Irrgärten": „Offenbar muß das Ziel

---

[1] Siehe oben S. 7—13!
[2] Inform. maternum II, 2.
[3] Did. magna, X, 3.

der Schulen sein, daß sie den Menschen seinem Ziel an=
passen, d. h. durch alles, was die menschliche Natur ver=
vollkommnet, ausbilden"[1]). Diese Menschenbildung wird
erreicht durch die Entwickelung aller Anlagen, besonders der
Bildung, Tugend und Frömmigkeit[2]). Wenn der Mensch
in diesen drei wesentlichen Stücken ausgebildet wird, dann
gelangt er zur Gottähnlichkeit. Indem die Schulen in den
Kindern die vollen und wahren Züge der Menschheit heraus=
arbeiten, werden diese lebendige Ebenbilder Gottes[3]). Das
teleologische Prinzip des Comenius wird also oft unter den
Begriff der Divinität gestellt, so daß die Menschenbildung
mehr im Sinne einer geoffenbarten Religion aufgefaßt
wird[4]). Daraus erklärt sich auch das Bemühen, den reli=
giösen Begriff der Erbsünde mit dem Humanitätsprinzipe zu
vereinen[5]).

c) Die utilitaristische Zielbestimmung ist eine
Konsequenz des von Baco übernommenen Realismus. Be=
herrschung der Natur ist der Zweck des menschlichen Wissens.
Unterricht und Erziehung haben sich den Zwecken des prak=
tischen Lebens dienstbar zu machen; non scholae, sed vitae
discimus. Wie die Natur nur Nützliches hervorbringt, so
soll auch in der Schule nur das gelernt werden, was wirk=
lichen Nutzen bietet[6]). Der Mensch soll also befähigt
werden, alles nach seinem gehörigen Zweck anzuordnen,
es auf nützliche Weise zu seinem eigenen Vorteile zu ver=
wenden[7]). Aber der Utilitarismus des Comenius erhält einen
idealen Zug[8]) dadurch, daß er aus seinem theologischen
Prinzip ein altruistisches Moment damit verbindet. Der
Jugend muß man sorgfältig das Ziel unseres Lebens vor
Augen halten, daß wir nämlich nicht bloß für uns geboren
werden, sondern für Gott und den Nächsten, d. h. für die

---

[1]) Vergl. auch Schola ludus, IV. Teil, 2. Aufzug, 4. Auftritt.
§ 154, Fortius redivivus, Abschn. 9 und Did. magna, XII, 13!
[2]) Did. magna, X, 3.
[3]) Fortius rediv., Abschn. 9.
[4]) Hoffmeister, Comenius u. Pestalozzi, S. 24.
[5]) Siehe unten S. 84—87!
[6]) Friesenhahn, „Worin stimmen die pädag. Anforderungen mit
den Anschauungen der bakonischen Philosophie überein". S. 4.
[7]) Did. magna, IV, 2.
[8]) Seiffarth, Joh. A. Comenius. S. 92.

Gesellschaft des Menschengeschlechts, daß sie wünschen und sich bemühen, durch Dienstfertigkeit möglichst vielen zu nützen [1]. Auf diese Weise vermeidet Comenius die dem Utilitarismus und Realismus anhaftenden Gefahren des Egoismus und Materialismus.

2. **Die untergeordneten Ziele der Erziehung.** Nicht aus den genannten höchsten Zielen, sondern aus dem Bibelspruche Genesis 1, 26 („Lasset uns Menschen machen" 2c.) leitet Comenius als Ziele des diesseitigen Lebens die Erlangung von **Bildung, Tugend und Frömmigkeit** [2] ab. Die psychologische Begründung und Ableitung versucht er nachträglich im X. Kapitel (Abschn. 7). Dort weist er (im 17. Abschnitt) auch auf die enge Zusammengehörigkeit dieser drei Stücke hin. Die wissenschaftliche Bildung ist die Kenntnis der Dinge, Künste und Sprachen [3]; Gott, Welt und Mensch sind die Objekte der menschlichen Weisheit [4]. Sittlichkeit ist nicht bloß die äußere Höflichkeit des Benehmens, sondern die ganze innere und äußere Verfassung der Handlungen. Religiosität [5] aber ist jene innere Verehrung, in welcher der Geist des Menschen sich mit der höchsten Gottheit verknüpft und vereinigt [6]. Sittlichkeit und Frömmigkeit haben einen höheren Wert als die Weisheit [7]. Der Religiosität gebührt jedoch die allerhöchste Stelle; sie bildet den Höhepunkt der ganzen Erziehung. Anderseits können aber Tugend und Frömmigkeit nur mit Hilfe der Weisheit entwickelt werden. Ein wahres Urteil über die Dinge ist die wahre Grundlage jeglicher Tugend.

γ) **Die Mittel der Erziehung.**

1. **Die Pflege des Leibes.**

a) **Bedeutung.** Die leibliche Pflege ist α) nicht Selbstzweck, sondern nur ein Mittel zur Erreichung der Er-

---

[1] Did. Dagna, XXIII, 12.
[2] Did. magna, III u. IV.
[3] Did. magna, IV, 6.
[4] „Ausgang", Abschn. 26.
[5] Did. magna, IV, 6. — Vergl. oben S. 1—6! „Die theol. Grundlage" und S. 34—38 „die ethische Grundlage"!
[6] Did. magna, IV, 6.
[7] Did. magna, XXIII, 1.

ziehungsziele. Da diese einen bestimmten Zeitabschnitt er=
fordert, so muß man eine Verkürzung des Lebens zu ver=
meiden suchen und eine Verlängerung des Lebens durch
Pflege der Gesundheit erstreben[1]. β) Die Pflege des
Leibes ist auch deswegen von Bedeutung, weil der Körper
Werkzeug und Wohnsitz des Geistes ist. Körper und Geist
stehen in engster Wechselwirkung miteinander. Nur ein ge=
sunder Körper gibt sichere Gewähr für die Erreichung der
Erziehungsziele[2].

b) Mittel. α) Was für die Pflege der kleinen
Kinder besonders zu beachten ist, darüber gibt das Infor=
matorium der Mutterschule eingehende Auskunft[3]. Dort
wird ausgeführt, was seitens der Mutter schon vor der Ge=
burt des Kindes zu beachten ist, und welche Mittel der
leiblichen Pflege in dem ersten Kindesalter besonders an=
gewandt werden müssen. Als solche werden zweckmäßige
Ernährung, genügende Bewegung und Gewöhnung an
Regelmäßigkeit genannt. — β) Für die Pflege der Gesund=
heit in der Jugend überhaupt enthält die Didactica
magna (Kap. XV) einige wichtige Anweisungen. Comenius
empfiehlt dort 1. Sorge für ausreichende, aber mäßige und
einfache Nahrung, 2. eine vernünftige Hautpflege und 3. als
Erholung des Körpers und des Geistes die Ruhe. Über
die in den Pausen zwischen den einzelnen Lehrstunden und
in den freien vorzunehmenden Beschäftigungen finden sich
nähere Ausführungen in der Schola pansophica[4]. Zur
Erholung des Geistes dienen auch die Spiele. Inbezug
auf sie gibt Comenius eine Reihe bemerkenswerter Gedanken,
wie die nachfolgende Übersicht beweisen möge.

γ) Heilmittel für Krankheiten des Leibes sind
kräftige Leibesbewegung, richtige Ernährung und gesunder
Schlaf. Anhang zur „Physik"; Comenius II, S. 9.

---

[1] Did. magna, XV.
[2] XV, 8.
[3] Das Nähere siehe in Comenius III, S. 75—77!
[4] Schola pans. Abschn. 91. Comenius II, S. 40.

Die Spiele.

a) Zweck und Bedeutung.

1. Die Spiele sollen in erster Linie zur Förderung der Gesundheit dienen[1]. Darum sind Spiele, die durch allzu große Wildheit den Körper ermüden, zu vermeiden. Ebenso wird der gesundheitliche Zweck nicht durch solche Spiele erreicht, welche im Sitzen ausgeführt werden. Unbedingt verwerflich aber sind die Spiele, welche große Gefahren für Leben und Gesundheit in sich schließen, wie z. B. Faustkampf, Ringen[2], Schwimmen und Klettern[3].

2. Der Zweck der Spiele besteht ferner in der Erholung des Geistes von anstrengenden Arbeiten. Sie sollen zur äußern Beweglichkeit und dadurch zur Anregung und Förderung der Geistesfrische beitragen[4]. Darum sind Spiele aufregender Art, insbesondere Glücksspiele wie Karten- und Würfelspiel, welche den Geist durch Furcht oder Hoffnung des Erfolges erregt halten[5], unbedingt zu verwerfen. Um die Zeit des Spielens auch unmittelbar der geistigen Bildung nutzbar zu machen, soll beim Spielen nur lateinisch gesprochen werden[6].

3. Die Spiele sollen auch einen praktischen Zweck[7] erfüllen, indem sie auf des Lebens Verrichtungen vorbereiten; sie sollen Vorspiele von Handlungen des Lebens sein, z. B. ökonomischen, politischen und militärischen. Es werden z. B. Ausgänge aufs Land unternommen, um Bäume, Kräuter, Wiesen, Weinberge und die dort zu verrichtenden Arbeiten kennen zu lernen. Stilarten und Pläne der Bauwerke werden erläutert. Sie können ein Heer aufstellen, Feldherren und Offiziere einsetzen, ein Lager abstecken ꝛc. Bei jedem Spiel ist darauf zu halten, daß es niemals als die Hauptsache, sondern stets als Nebensache

---

[1] „Gesetze für eine wohlgeordnete Schule" X, Abschn. 2 und 7. „Päd. Bibliothek", XI. Band, S. 256.

[2] In der „Schola pansophica" ist mäßiges Ringen gestattet.

[3] „Gesetze", X, 2. „Päd. Bibliothek", XI. Band, S. 256. „Sittenvorschriften" XV, „Päd. Bibliothek", XI. Bd., S. 246.

[4] Schola pans., Abschn. 86. „Päd. Bibliothek", Bd. XI, S. 171.

[5] „Gesetze", X, 2. „Päd. Bibliothek", XI. Bd., S. 256.

[6] „Sittenvorschriften" XV, 6. „Päd. Bibl.", XI. Bd., S. 246.

[7] Vergl. oben S. 46. Utilitarismus der Pädagogik des Comenius!

erscheint. Ihre rechte Bedeutung können die Spiele erst dann erlangen, wenn ernsthafte Anstrengungen vorher= gegangen sind. Die Regel muß lauten: Erst die Arbeit, dann das Spiel[1]!

b) Arten der Spiele.

Comenius unterscheidet[2] zwei Gruppen von Spielen, nämlich 1. Übungen des Körpers und der Gesundheit, welche durch Bewegung geschehen. Zu ihnen gehören Laufen, Springen, mäßiges Ringen, Ballspiel, Kegeln, Blindekuh u. a. und auch Spazierengehen im Hofe oder Garten[3]. 2. Es können auch Spiele gestattet werden, die im Sitzen aus= zuführen sind, aber nur solche, die Gelegenheit bieten, den Scharfsinn zu üben, wie Schach und ähnliche. Karten= und Würfelspiele sind als Glücksspiele auszuschließen. Eine Veranschaulichung der zur Zeit des Comenius gebräuchlichen Kinderspiele gibt das 136. Bild im Orbis pictus[4].

c) Spielregeln.

1. „Das Spiel zieren Schnelligkeit des Körpers, Heiter= keit des Geistes, Ordnung, ferner geistvoll und nach der Regel zu spielen und durch Tapferkeit, nicht aber durch List zu siegen. Das Spiel schänden Trägheit, Mißmut, Über= mut, Geschrei und Arglist[5]. Das Spiel ist auch nicht bis zum Überdruß fortzusetzen; denn es soll nicht Widerwillen, sondern Erholung bereiten[6]. Es soll mit Maß und Anstand gespielt werden[7].

2. Es darf auch nicht um Geld noch um andere Dinge, die einen bestimmten Wert haben, gespielt werden. Man lasse vielmehr den Besiegten das tun, was der Sieger ihm befiehlt, z. B. einen Spruch oder eine Geschichte vor= tragen u. a.[8].

---

[1] „Gesetze", X, 1.   „Päd. Bibl.", XI, S. 256.
[2] Schola pans., Abschn. 86.   „Päd. Bibl.", XI. Bd., S. 171.
[3] „Sittenvorschriften", XV, 6.   „Päd. Bibl.", XI. Bd., S. 246.
[4] Tupetz, A. Comenius, Orbis pictus. S. 89.
[5] „Sittenschriften", XV, 3 u. 4, „Päd. Bibl.", XI., S. 246.
[6] „Gesetze", X, 5.   „Päd. Bibl.", a. a. O. S. 257.
[7] „Sittenvorschriften", XV, 1.   „Päd. Bibl.", a. a. O. S. 246.
[8] „Sittenvorschriften", XV, 5.   „Päd. Bibl.", a. a. O. S. 246.

3. Beaufsichtigung des Spieles und event. Anleitung seitens des Lehrers ist empfehlenswert[1]).

2. Die Pflege des Geistes.

a) Der Unterricht. Das Haupterziehungsmittel ist die Unterweisung, der Unterricht, d. i. die plan- und zielvolle Einwirkung auf die denkende Seite der Seele. Tugend und Frömmigkeit werden in erster Linie durch Unterricht erzielt. Je mehr Einsicht, desto mehr Sittlichkeit und Religiosität. Ein geordneter Unterricht findet aber in der Regel nur in den Schulen statt. Daraus ergibt sich die Notwendigkeit, Bildungsanstalten zu errichten, in welchen (durch eine sorgfältige, der Natur zu entlehnende Ordnung) sichere Erfolge des Unterrichts und dadurch der Erziehung gewährleistet werden[2]).

b) Die Schulzucht. Die Zuchtmittel sind nach Kapitel XXVI[3]) der Didactica magna 1. das Beispiel, 2. unterweisende, ermahnende und strafende Worte, und 3. gewaltsamere Mittel wie die körperlichen Züchtigungen (und Entfernung aus der Schule). In dem Typographeum vivum gibt Comenius folgende Gruppierung aller Maßregeln der Zucht: 1. Beständige Aufsicht über alle (attentio perpetua in omnes), 2. Zurechtweisung derjenigen, die aus dem (Schul-) Geleise gehen (increpatio exorbitantium) und 3. die Züchtigung der Unwillfährigen, Ungehorsamen (castigatio immorigerum)[4]).

c) Besondere Regeln für die Erzielung sittlicher und religiöser Bildung. Siehe Did. magna XXIII—XXV, Informatorium IX u. X und die Gliederung des Gedankenganges in Comenius III, S. 46—69 u. S. 81—83!

---

[1]) „Gesetze", X, 6. „Päd. Bibl.", a. a. O. S. 257.
[2]) Did. magna, XI—XIV. Comenius III, S. 30 ff. Die Darstellung der Unterrichtslehre siehe unten S. 52—58!
[3]) Siehe die nähere Ausführung in Comenius III, S. 50!
[4]) Vergl. W. Müller, Comenius ein Systematiker der Pädagogik. Seite 28!

b) Unterrichtslehre[1]).

α) Das Ziel des Unterrichts.

Eine klare bestimmte Angabe über das Ziel des Unter=
richts und dessen Stellung zum Erziehungsziele findet sich in
der Unterrichtslehre des Comenius nicht. Das erklärt sich
daraus, daß er, (indem er die untergeordneten Ziele der
Erziehung, nämlich wissenschaftliche Bildung, Tugend und
Frömmigkeit, bestimmt und damit schon in nuce das
Unterrichtsziel mitgegeben hatte.' Es kann hiernach kein
anderes sein als die Erzielung wissenschaftlicher Bildung,
um mittels dieser auf Tugend und Frömmigkeit entscheidend
einzuwirken.

β) Der Unterrichtsstoff.

1. Der Unterrichtsstoff im allgemeinen: „Alles"
soll gelehrt werden. Die Didactica magna umfaßt die
Kunst, „alles" zu lehren. Das heißt nicht, daß von allen
die Kenntnis aller Wissenschaften und Künste verlangt
werde, sondern nur, daß Grund, Zweck und Ziel von allem
Hauptsächlichen, was da ist und geschieht, zu merken gelehrt
werde; daß in der Welt nichts derart Unbekanntes vorkomme,
über das die Schüler nicht ein bescheidenes Urteil abgeben,
und das sie nicht zu dem bestimmten Gebrauch klüglich ohne
schädlichen Irrtum verwenden könnten[2]). Ähnlich erläutert
Comenius das „Alles" in der Schola pansophica[3]): Die
Schüler sollen die Grundlagen, die hauptsächlichsten Zu=
sammenfügungen, die Hauptumstände von allem kennen
lernen, damit(wer dies eingesehen hat) über alles besonnen
urteilen, in keinem wichtigeren Stücke verberblich irren) und
so, (durch diese allgemeine Kenntnis aller Dinge verwahrt)
(in alle menschlichen und göttlichen Schriften eindringen)
und sodann zu den Geschäften des Lebens selbst zugelassen
werden kann.

---

[1]) Die Unterrichtslehre hat Comenius in Kapitel XVI bis
XXIV der Didactica magna und in Kap. VI bis VIII des Infor=
matoriums zusammenhängend dargestellt. Einzelne Unterrichtsregeln
finden sich in großer Anzahl auch in seinen pädagogischen und pan=
sophischen Schriften.

[2]) Did. magna, X, 1. Comenius III, S. 28.

[3]) Schola pans., „Päd. Bibl.", Band XI, S. 193.

Der Begriff „alles" umfaßt im einzelnen a) das Reale sowohl als das Formale, was besonders wichtig ist im Hinblick auf den in den höheren Schulen allgemein herrschenden Formalismus[1]. Er bezieht sich auf Wissen, Tun und Reden, umfaßt also wissenschaftliche Bildung sowohl als die Künste[2] und neben der intellektuellen Ausbildung auch die sittliche und religiöse Erziehung. — b) „Alles" bedeutet weiter, daß die Objekte der menschlichen Erkenntnis überhaupt, nämlich Natur, Mensch und Gott auch Gegenstand des Unterrichts sein müssen. Die praktische Anwendung dieses Gedankens hat Comenius in der Janua, dem Orbis pictus und der Schola ludus versucht[3]. — c) Der gesamte Unterrichtsstoff läßt sich seiner Bedeutung nach in drei Gruppen ordnen, in Studien ersten, zweiten und dritten Ranges[4]. Zu den primären Studien gehören solche, welche Wesen, Kern und Inhalt der Weisheit, Beredsamkeit, Wohlanständigkeit und Frömmigkeit sind: die Sprachen, die Philosophie und die Theologie. Die sekundären Studien sind nicht sowohl förderlich zum Sein, als zum Wohlsein und dienen zur Ergötzung wie z. B. das Geschichtsstudium. Die tertiären Studien dienen der äußern Beweglichkeit des Körpers und tragen dadurch zur Anregung und Förderung der Geistesfrische bei. Zu ihnen gehören Spiele und dramatische Aufführungen.

2. Der Unterrichtsstoff im besonderen. Die Auswahl des Stoffes. a) Schon in der Mutterschule muß „alles" gelehrt werden, wenn auch von allem nur die Anfänge und grundlegenden Begriffe[5]. Es müssen 1. Übungen des Verstandes, 2. des Tuns und der Arbeit und 3. der Beredsamkeit vorgenommen werden[6]. Die zwölf Fächer der Volksschule siehe im XXIX. Kapitel der Didactica magna[7]! Der Lehrplan der lateinischen

---

[1] Siehe Comenius I, S. 21—23!
[2] „Ausgang aus den Schullabyrinthen", Abschn. 24.
[3] Comenius II, S. 57—87.
[4] Comenius II, S. 40.
[5] Die Erläuterung siehe im „Informatorium der Mutterschule", Kap. IV; Comenius III, S. 74!
[6] „Inform. der Mutterschule", VI bis VIII.
[7] Comenius III, S. 56.

Schule enthält 1. die sieben freien Künste, 2) die realen Wissenschaften und 3. Ethik und Theologie[1]. b) Den ausführlichen Lehrplan für die sieben Klassen der pansophischen Schule enthält der zweite Teil der Schola pansophica[2]. c) Die „Ordnung" in den Schulen fordert auch, daß eine bestimmte Auswahl und Verteilung des Stoffes in den einzelnen Fächern für die verschiedenen Schulklassen stattfinde. Auch die Schulzeiten sind mit Sorgfalt einzuteilen, daß jedes Jahr, jeder Monat, jeder Tag und jede Stunde eine besondere Aufgabe zugewiesen bekommt[3]. Comenius fordert also auch eingehende Lehrpläne und Pensenverteilungen. Eine praktische Durchführung dieser Gedanken ist bis zu einem gewissen Grade in dem eben erwähnten zweiten Teile der Schola pansophica enthalten. Von den für die sechs Klassen der Volksschule bearbeiteten Büchern, in welchen man eine genauere Stoffverteilung vermuten darf, sind leider nur die Titelangaben erhalten[4].

γ) **Die Methode des Unterrichts**[5].

1. **Allgemeine Methodik.**

a) Das **Grundprinzip** der comenianischen Unterrichtslehre ist die **Naturgemäßheit**. Die methodische Kunst ist nichts anderes als Nachahmung der Natur. Diese ist eine absolut sichere Führerin. Durch Beachtung der Natur erhält der Lehrer eine einheitliche Methode für alle Studien, eine mechanische absolut sicher wirkende Lehrweise[6]. Die Natur kann als Lehrmeisterin dienen; denn sie ist Gottes Werk, Wirkung des göttlichen Weltgeistes, des spiritus mundi. Die ganze Natur bildet eine große Einheit, eine großartige allseitige Harmonie. Anorganische und organische,

---

[1] Did. magna, XXI; Comenius II, S. 59.
[2] „Pädag. Bibliothek", XI. Band, S. 175 ff.
[3] Did. magna, XVI. Abschn.; Comenius III, S. 38.
[4] Comenius I, S. 53.
[5] Aus der großen Fülle der comenianischen Unterrichtsregeln geben wir eine übersichtliche Darstellung derjenigen Grundsätze, welche entweder für das comenianische System oder für die heutige Unterrichtslehre von Bedeutung sind.
[6] Did. magna, XVI, 4. Die Kunst der geistigen Pflanzung muß auf eine so feste Grundlage gestützt werden, daß sie sicher und untrüglich vorschreitet.

unbewußte und bewußte, objektive und subjektive Natur sind nicht (dem Wesen nach), sondern nur (dem Grade nach) ver= schieden. In allen wohnt und wirkt der göttliche Geist, und eben darin liegt die absolut sichere Gewähr für die Unfehlbarkeit des Naturprinzips[1]).

b) Die Konsequenzen des Naturprinzips.

α) Ableitungen aus der „Natur" überhaupt. 1. Konsequenz: die mechanische Methode. Wenn die Natur als Abbild Gottes einen untrüglichen Wegweiser für die Kunst überhaupt abgibt, wenn jede Kunst nichts anderes ist als eine Nachahmung der Natur, so folgt daraus für den Unterricht, daß die auf Grundlage der Natur erbaute Methode vollkommen sicher wirken muß wie eine Maschine[2]).

2. Konsequenz: die enzyklopädische, konzen= trische Methode. Da ferner die ganze Natur in sich nichts als Harmonie ist, eine große Einheit, so folgt daraus (für die die Natur beachtende Methode) daß dem Menschen (als einem Abbilde des allwissenden Gottes) ein das ganze Universum umfassende, eine in sich zusammenhängende Bil= dung zu vermitteln ist. Es darf also nicht nur ein bloß enzyklopädisches Wissen, sondern es muß organische Ver= bindung aller Wissenszweige oder Konzentration in großem Stile geübt werden. Diese Forderung gilt schon für die Mutterschule und für die einzelnen Klassen der Volksschule. Auf jeder Stufe wird „alles" behandelt, ein Überblick über das gesamte Seiende gegeben. Der Unterrichtsstoff ist also überall derselbe; aber gemäß der Fassungskraft der Schüler finden „Erweiterungen" und „Vertiefungen" statt. Auf diese Weise gelangt Comenius zu konzentrischen Lehrgängen.

3. Konsequenz: die synkritische Methode. Ist die Natur eine Einheit, sind Menschennatur und äußere Natur als Wirkungen desselben Gottesgeistes wesensgleich, so sind die in der Entwickelung der äußeren Natur sich zeigenden Gesetze auch für die Entwickelung des menschlichen Geisteslebens gültig. Man kann also aus dem Wachstum

---

[1]) Über den Begriff „Natur" siehe Comenius I, S. 90 f., Come= nius II, S. 9 f., Comenius III, S. 99 u. oben S. 11 u. 12!

[2]) Vergl. das zu Pestalozzi gesprochene Wort: Vous voulez mécaniser l' éducation!

von „Eichen und Buchen", aus den Vorgängen des „Himmels und der Erde" oder im einzelnen aus den Keimen des Samenkorns und der Entwickelung des Pflänzlings, aus der Entstehung des kleinen Vogels aus dem Ei, aus dem Verhalten der Vögel bei der Pflege ihrer Brut 2c. unbedingt giltige Schlüsse für die unterrichtliche Unterweisung der Kinder ziehen. Wie Comenius in Anwendung dieser sog. synkritischen Methode verfährt, zeigt Kap. XVI bis XIX der Did. magna[1]).

β) **Ableitung aus der Menschennatur.** Es ist leicht, den Beweis zu erbringen, daß Comenius an vielen Stellen auch auf die allgemein menschliche Natur als Ausgangspunkt der Pädagogik sich stützt[2]). Allerdings wendet er dieses Prinzip in seiner allgemeinen Unterrichtslehre nicht an. Dennoch ist Tatsache, daß die noch heute giltigen Unterrichtsgrundsätze des Comenius nur scheinbar aus der äußeren Natur abgeleitet sind. In Wirklichkeit verdanken sie ihren Ursprung seinem praktischen psychologischen Scharfblick. Es war nur eine Selbsttäuschung, wenn er meinte, sie auf Grund der Beobachtung von „Eichen und Buchen" 2c. gewonnen zu haben. Die wichtigsten dieser Sätze sind im III. Teil[3]) bereits zusammengestellt worden. Hier seien nur zwei Hauptgruppen besonders hervorgehoben:

1. Gruppe: Auf psychologischer Grundlage beruht die für die Erlangung der Erkenntnisse als notwendig bezeichnete Stufenfolge, nämlich die Inanspruchnahme der Anschauung, des Gedächtnisses und der Urteilskraft[4]); ferner die starke Betonung der Anschauung[5]), der Aufmerksamkeit[6]), die Empfehlung der genetischen Erklärung, die Forderung, daß alles nach den Ursachen erläutert werden solle u a.[7])

2. Gruppe: Aus der Menschennatur sind auch die Grundsätze abgeleitet, daß sorgfältige Übung des Gelernten

---

[1]) Siehe Comenius III, S. 36 ff.; das dabei befolgte Schema S. 37! Beurteilung der synkritischen Methode siehe unten S. 90 f.!

[2]) Vergl. oben „die humanistische Grundlage" S. 9!

[3]) Comenius III, S. 36—56.

[4]) Did. magma, XVII, 28. Comenius III, S. 39.

[5]) Vorrede zum Orbis pictus, Comenius II, S. 73—79. Did. magna, XX, Comenius III, S. 41.

[6]) Did. magna, XIX, 19. Comenius III, S. 41.

[7]) Did. magna, XVIII, 36—37.

stattzufinden habe, daß die Selbsttätigkeit[1]) der Kinder im weitgehendsten Maße in Anspruch genommen werden müsse. Die psychologische Trias von Wissen, Sprechen und Handeln (ratio, oratio, operatio) ist die Unterlage für die pädagogischen Übungen des Verstandes, der Beredsamkeit und im Tun und Arbeiten[2]).

γ) Ableitung aus der äußern Natur. Aus der objektiven Natur läßt sich, wenn man sie nicht vermenschlicht, eigentlich überhaupt nichts ableiten, was für den Unterrichtsbetrieb unbedingt wissenschaftliche Geltung beanspruchen dürfte. Gleichwohl ist nicht zu leugnen, daß durch Analogieschlüsse richtige Unterrichtsregeln gewonnen werden können, da ja mancherlei Ähnlichkeiten zwischen der seelischen Entwickelung des Menschen und dem der organischen Natur, der Tiere und Pflanzen, zweifellos vorhanden sind. Drei Sätze sind es vor allem, die der zur Zeit des Comenius sich kräftig entwickelnde Realismus für die Methode des Unterrichts nahe legte:

1. Satz: Als Gegengewicht zu dem öden Formalismus der höheren Schulen muß Beobachtung der Dinge der Natur, also Anschauung, gefordert werden[3]).

2. Satz: Worte dürfen nur in Verbindung mit Sachen gelehrt und gelernt werden[4]).

3. Satz: Da die Erforschung der Natur zu deren Beherrschung führen soll, so ist neben dem Wissen auch das Können zu erstreben. Alles Wissen ist eitel, welches nicht zur praktischen Anwendung und Verwertung im Leben führt. (Utilitarismus.)

2. Spezielle Methodik.

a) Methodik des Lateinunterrichts.

Besondere Werke der speziellen Methodik hat Comenius nur für den Lateinunterricht herausgegeben. Praktische Ar-

---

[1]) „Ausgang aus den Schullabyrinthen", Abschn. 17. Comenius III, S. 97.

[2]) Informatorium der Mutterschule VI—VIII, Comenius III, S. 77—80.

[3]) Siehe unten S. 72: Comenius als Begründer des realen Realismus!

[4]) Vergl. Orbis pictus und Schola ludus!

beiten dieser Art sind die Janua, der Orbis pictus und die Schola ludus, außerdem eine größere Anzahl von Hilfs=mitteln für den lateinischen Unterricht, welche er im Auf=trage der schwedischen Regierung bearbeitet oder neu=gearbeitet hat. Ein theoretisches Werk ist die „Methodus novissima", „Neue Sprachenmethode", eine Methodik des lateinischen Unterrichts[1]).

b) Einzelne methodische Anweisungen.

Neben den allgemeinen Grundsätzen hat Comenius ge=legentlich ganz spezielle methodische Anweisungen für die pädagogische Praxis gegeben. Sie finden sich reichlich in der Didactica magna[2]). In Kap. XXIX, Abschn. 17, III, ist ganz genau angegeben, wie der Lehrer der Volksschule mit Hilfe des Lehrbuches die Lektion einer Unterrichtsstunde zu gestalten hat. Auch in der Vorrede zum Orbis pictus sind eingehende Anweisungen für den Gebrauch dieses Buches gegeben[3]). In der Schola ludus gibt Comenius sogar vollständige, in Fragen und Antworten ausgearbeitete Lek=tionen, gleichsam Probelektionen, zur Illustration seiner reformatorischen methodischen Bestrebungen[4]).

2. Die praktische Pädagogik.

Die praktische Pädagogik ist in den Schriften des Co=menius eingehend berücksichtigt worden. Außer der Didactica magna, von welcher die Kapitel VIII bis XIV (die Schulen als Mittel der Bildung) und Kapitel XXVII bis XXXII (die Schulorganisation) der Schulkunde zuzuweisen sind, beschäftigen sich einige kleinere Schriften, welche für den unmittelbaren Gebrauch in der Schule zu Saros Patak be=stimmt waren, verwiegend mit den äußeren Schuleinrichtungen. Zu ihnen gehören besonders die Schola pansophica, die „Gesetze für eine wohlgeordnete Schule" und der „Fortius

---

1) Comenius I, S. 61.
2) Did. magna, XX bis XXIV und XXIX.
3) Comenius II, S. 78.
4) Siehe die in Comenius II, S. 62—70, mitgeteilten zwei Probe=lektionen über die Schreiblesemethode und über die Besprechung eines Bildes im Orbis pictus!

redivivus“ zum Teil. Einzelne zur praktischen Pädagogik
gehörige Ausführungen finden sich verschiedentlich in seinen
Schriften. In der folgenden Darstellung versuchen wir, den
Stoff zu gliedern; bezüglich der Einzelheiten muß auf die
genannten Schriften verwiesen werden.

a) Äußere Schuleinrichtungen.

α) Die Schulorganisation.

1. Begriff der Schule. Die Schule ist, äußerlich
betrachtet, eine Versammlung Lehrender und Lernender, ein
Ringplatz der Arbeiten, eine fortwährende Arbeitsstätte[1].
Die Schulen sind notwendig im Hinblick auf die Erziehen=
den, d. h. Fachleute müssen die Erziehung leiten, wenn die
Ziele der Erziehung erreicht werden sollen. Sie sind auch
notwendig in Hinsicht auf die zu Erziehenden, d. h. im
Interesse einer allgemeinen Menschenbildung muß die ge=
samte Jugend in Schulen erzogen werden, Mädchen sowohl
als Knaben, Begabte und Unbegabte, Hohe und Niedrige[2].

2. Einteilung der Schulen. a) Gemäß der stufen=
weisen Entwickelung der Jugend ist die gesamte Zeit ihrer
Ausbildung in vier Abschnitte zu gliedern. Da man die
ersten 24 Lebensjahre des Menschen zweckmäßig in Kindheit,
Jugend, Jünglingsalter und angehendes Mannesalter ein=
teilt, so sind auch vier verschiedene Schularten nötig:
Mutterschule, Muttersprachschule oder Volksschule,
lateinische Schule und Akademie[3]. Von ihnen sind
die beiden ersteren allgemeine Bildungsanstalten, Latein=
schule und Akademie dagegen sind höhere Unterrichts=
anstalten für die Heranbildung der führenden Geister.

b) Jede Schule ist in Klassen zu gliedern (natürlich
mit Ausnahme der Mutterschule). Volksschule und Latein=
schule haben je sechs[4] aufsteigende, räumlich getrennte Klassen;
jede Klasse hat ihr besonderes Lehrbuch und ihren besonderen
Lehrer[5]. Die Klassen sind wieder zweckmäßig in Zehnt=

---

[1] Fortius redivivus, Abschn. 5; Comenius II, S. 46.
[2] Did. magna, Kap. VIII u. IX; Comenius III, S. 25—28.
[3] Näheres siehe in Comenius III, S. 54 ff.!
[4] Die pansophische Schule zu Saros Patak sollte sieben Klassen
erhalten.
[5] Did. magna, XXIX, 8—12; Com. III, S. 57.

schaften einzuteilen, an deren Spitze je ein besonders be=
gabter und fleißiger Schüler steht, der die Arbeiten und das
Betragen der anderen zu überwachen hat[1].

β) Die Ausstattung der Schulen.

1. Das Schulzimmer. Für jede Klasse muß ein be=
sonderes Schulzimmer vorhanden sein, damit gegenseitige
Störungen seitens der verschiedenen Klassen vermieden
werden. Jedes Lehrzimmer muß mit einem Katheder und
der hinreichenden Zahl von Subsellien ausgestattet sein.
Das Katheder muß so aufgestellt werden, daß der Lehrer
mit allem, was er treibt, von sämtlichen Schülern gesehen
werden kann. Die Subsellien müssen so geordnet sein, daß
der Lehrer die ihm zugewendeten Schüler sämtlich im
Auge hat. In den Klassenzimmern muß alles sauber, wo
möglich glänzend erhalten werden, um die Schüler zur
Reinlichkeit und Sauberkeit zu erziehen. Von großem Nutzen
ist es auch, wenn die Wände, Türen 2c. mit Bildern, Aus=
sprüchen 2c., welche sich auf das Pensum der Klasse beziehen,
geschmückt werden. Für die Abhaltung von Festakten ist
eine Aula erforderlich[2].

2. Lehr= und Lernmittel. a) Schöne Bücher,
Auszüge aus den Büchern, Gottes Welt, Geist und Ge=
setz (oder Natur, Schrift und Gewissen) sind zu schaffen,
durch welche unsere Sinne geöffnet werden, daß sie die
Dinge bestimmter fassen, durch welche ferner der Verstand
geschärft wird, um tiefer in das Innere der Dinge einzu=
dringen, und durch welche endlich unser Glaube gezwungen
wird, den Offenbarungen williger und fester zu vertrauen[3].
Gute Lehrbücher sind also äußerst wichtig. Sie sind im=
stande, bis zu einem gewissen Grade die mangelnde Lehr=
befähigung untüchtiger Lehrer zu ersetzen[4]. Comenius selbst

---

[1] Schola pansophica, Abschn. 52, Com. II, S. 39.
[2] „Gesetze für eine wohlgeordnete Schule“ III, 1—6. „Päd.
Bibl.“, XI. Bd., S. 250 f. — Schola pans., 4. Ordnung des Ortes.
Com. II, S. 39. „Päd. Bibl.“, XI. Bd., S. 159.
[3] Schola pans., I, 29. „Päd, Bibl.“, XI. Bd., S. 153.
[4] Aus dieser Ansicht des Comenius erklären sich manche für den
Gebrauch der Bücher gegebenen Anweisungen, welche den Lehrer zum
Sklaven des eingeführten Lehrbuches machen. Vergl. Anm. 2 auf

hat Hand ans Werk gelegt, um derartige Bücher zu schaffen. Als Hilfsbuch für die Mutterschule verfaßte er das Informatorium, für die Volksschule (sechs bis auf die Titel verloren gegangene) Bücher und für die Lateinschule eine größere Zahl von Hilfsmitteln, die schon mehrfach erwähnt worden sind.

b) Aus dem Grundsatze des Comenius, daß alles soviel als möglich den Sinnen vergegenwärtigt werden solle[1]), ergibt sich die Notwendigkeit von Veranschaulichungsmitteln. Als solche stehen ihm, wenn auch nicht prinzipiell so doch tatsächlich beim praktischen Unterrichtsbetriebe die Bilder in erster Reihe. Darum schuf er den Orbis pictus; darum empfiehlt er auch, alles, was man in jeder Klasse zu behandeln pflege, an den Wänden des Hörsaales bildlich darzustellen[2]). Von großem Nutzen sind ferner „autoptische Instrumente", das sind Modelle von den Dingen, die man selbst in der Schule nicht haben kann. So würde z. B. der Organismus des menschlichen Körpers sich mit leichter Mühe den Kindern erklären lassen, wenn man einem (natürlichen oder künstlichen) Skelette des menschlichen Körpers aus Leder gefertigte und mit Wolle ausgestopfte Muskeln, Sehnen, Nerven rc., beigäbe. Wenn die Herstellung solcher Modelle auch einen gewissen Aufwand von Fleiß und Kosten erfordert, so belohnt sich solches doch überreichlich[3]).

3. Schulpläne. a) Die Grundlage der Schulverbesserung ist die Ordnung[4]). Darum muß auch der zu behandelnde Unterrichtsstoff genau auf die einzelnen Jahre, Monate, Tage und Stunden verteilt werden. Es sind also Lehrpläne und Pensenverteilungen anzufertigen.

S. 58 in Comenius III! — Siehe auch in der Schola pansophica I, 49 die „Ordnung der Lehrmittel, der Bücher"! „Päd. Bibl." XI. Bd., Seite 158!

[1]) Did. magna, XX, 7. Com. II, S. 41.

[2]) Did. magna, XVI, 42.

[3]) Did. magna, XX, 11. — In der „Widmung" der Schola ludus (Abschn. 15) fordert Comenius für die dramatischen Aufführungen Gemälde oder aus Holz verfertigte Nachbildungen oder Modelle von solchen Dingen, die in natura nicht gezeigt werden können.

[4]) Did. magna, XIII u. XIV.

Jeder Klasse ist ein Pensum zuzuweisen, das einer mittleren Begabung entspricht[1]). Alljährlich beginnt und endigt jede Klasse ihre Pensa im Herbst. Außer dieser Zeit soll niemand aufgenommen werden[2]). Bei der Stoffverteilung sind die Pausen und Ferien in Abzug zu bringen. An jedem Tage sind nur vier Stunden auf ernste Studien[1]) zu verwenden. Am Vormittage sind wissenschaftliche, am Nachmittage die technischen Fächer zu betreiben[3]). In jeder Woche sind zwei Nachmittage schulfrei.

b) Den Stundenplan der pansophischen Schule siehe in Comenius II, S. 41!

c) Für jede Schule sind Schulmatrikel und Jahrbücher, das sind Schulverzeichnisse und Schulchroniken, zu führen. In die Schulmatrikel schreibt jeder neu eintretende Schüler eigenhändig seinen Namen und verpflichtet sich damit, die Gesetze der Schule gewissenhaft zu befolgen. In die Jahrbücher werden die Beschlüsse des Lehrer-Kollegiums eingetragen, ferner Angaben über die Gründung der Schule, die Zunahme und die Veränderungen, die Namen der Rektoren und Professoren, festliche Akte, Programme, Festreden u. a.[4]).

b) Die Schulverwaltung (Schulämter).

α) Das Amt des Lehrers.

1. Bedeutung. Das Amt des Lehrers ist von der höchsten Bedeutung. Ohne tüchtige Lehrer können die Schulen ihre Ziele nicht erreichen. Darum soll kein Lehrer sich selbst gering schätzen. Er soll vielmehr das Bewußtsein haben, daß er an einen erhabenen Ehrenplatz gestellt und mit einem Amte betraut ist, so vorzüglich wie keins unter der Sonne, nämlich damit, Ebenbilder Gottes zu schaffen, den Himmel zu pflanzen und die Erde zu gründen, d. h. die Grundlagen der Kirche und des Staates zu erbauen[5]).

---

[1]) Schola pansophica, I, 54—58. „Ordnung der Zeit"; Comenius II, S. 39.

[2]) „Gesetze", IV, „Päd. Bibl.", XI. Bd., S. 251.

[3]) Did. magna, XXIX, 17. Für die Volksschule fordert Comenius nur 2 Stunden vormittags und 2 Stunden nachmittags.

[4]) „Gesetze", XIII, 5 u. 6. „Päd. Bibl.", Bd. XI, S. 261.

[5]) „Gesetze", XXI, 2. „Päd. Bibl.", Bd. XI, S. 270. — Vergl. Luthers Wertschätzung des Lehrerberufs!

2. **Anforderungen.** Wegen der hohen Bedeutung seines Berufes sind an den Lehrer hohe Anforderungen zu stellen. Er soll in jeder Weise seinen Schülern als Muster dienen können. Denn niemand kann weise Menschen hervorbringen als der Weise, niemand gesittete oder fromme als der Gesittete oder Fromme 2c.[1]). Nicht jeder eignet sich zum Lehrer. Ein guter Didaktiker zu sein, ist eine Gabe Gottes. Das Schulamt soll darum auch nicht eine bloße Durchgangsstelle für Kandidaten des Predigtamts sein[2]).

3. **Besoldung.** Da ein jeder Arbeiter seines Lohnes wert ist, so sollen auch die Lehrer ihren gerechten und auskömmlichen Lohn erhalten, damit sie nicht gezwungen sind, ihr Amt im Stiche zu lassen und andere lohnendere Beschäftigung zu suchen. Nur bei auskömmlicher Besoldung ist Berufsfreudigkeit möglich. Denn „eine Arbeit wird zuwider, wenn ihr nicht der Lohn folgt"[3]).

β) Das Amt des Rektors.

Die Leitung der einzelnen Schule ist Sache des Rektors. „Er soll der ganzen Schule vorzügliches Licht und ihr Gipfel sein". Er überwacht die Schulordnung, bewahrt das Archiv der Schule und die Schulmatrikel, führt die Schulchronik 2c. Da er keine eigene Klasse hat, so inspiziert er täglich die Klassen und steht seinen Kollegen mit Rat und Tat zur Seite[4]).

γ) Das Amt der Scholarchen (Inspektoren).

Die Scholarchen üben unter der Autorität des Magistrats und der Kirche die Aufsicht über die gesamte Jugend der ganzen Stadt und Umgegend aus. Ihnen ist die oberste Fürsorge für die Pflanzschule des Staates und der Kirche übertragen. Sie sollen also ernstlich darauf bedacht sein, daß diese öffentliche Anstalt nicht irgend einen Schaden habe.

---

[1]) Schola pansophica, Erörterungen Abschn. 13; Päd. Bibl. XI, S. 198. Com. II, S. 42.

[2]) „Gesetze", XXIII, 4. „Päd. Bibl.", XI, S. 276.

[3]) „Gesetze", XXIII, 6. „Päd. Bibl." XI, S. 276.

[4]) Genaueres siehe in den „Gesetzen", XXII; „Päd. Bibl.", XI, S. 283—275! — „Gesetze", XIII, a. a. O. S. 261. Rektor und Lehrer bilden zusammen den Senat der Schule.

Sie sorgen, daß tüchtige Lehrkräfte gewonnen werden, daß jeder Lehrer an den rechten Platz gestellt werde, daß z. B. den ersten Anfängern nicht ein ungeübter Lehrer, sondern der geschickteste und erfahrenste gegeben wird. Sie treffen Fürsorge, daß die Treue der Lehrer die verdiente Auszeichnung, nachlässige Amtsführung aber Strafe erhält[1].

[1] Genaueres siehe in den „Gesetzen“, XXIII, „Päd. Bibl.“, XI, S. 275—278. „Gesetze für die Scholarchen“!

C. Beurteilung der Pädagogik des Comenius [1].

I. Die Bedeutung der comenianischen Pädagogik.

1. Comenius als erster Systematiker und Begründer einer wissenschaftlichen Pädagogik.

Es ist bei Bearbeitung des Lebens und der Schriften (im I., II. und III. Teil) bereits gelegentlich Comenius der erste Systematiker und Begründer einer wissenschaftlichen Pädagogik genannt worden. Daß ihm diese bedeutsame Stelle in der Geschichte der Pädagogik als Wissenschaft gebührt, bezeugt eine Reihe von namhaften Bearbeitern seiner pädagogischen Werke. Walter Müller gibt seiner wissenschaftlichen Abhandlung den Titel: „Comenius, ein Systematiker der Pädagogik". Wittes [2] Urteil lautet: „Comenius hat seine Ideen, Grundsätze und Lehren durch seine Didactica magna niedergelegt in einem System, welches das gesamte Schulwesen von der Volksschule bis zur Hochschule als ein geschlossenes Ganze umfaßt". Ähnlich äußert sich Kaiser [3]: „Alle wesentlichen Bestandteile der praktischen und theoretischen Pädagogik sind bei Comenius vorhanden. Sein System braucht den Vergleich mit andern Systemen nicht zu scheuen". Ähnlich auch Seiffarth [4]: „Comenius ist der erste, der ein vollständiges System der Pädagogik aufstellte. — Er hat die erste umfassende systematische Grundlage für die Pädagogik gelegt. — Durch „Unterordnung des Unterrichts unter die allgemeinen Prinzipien schuf er das erste fest gegründete und umfassende System". Scherer [5]

---

[1] Über den zweifachen bei der Beurteilung der comenianischen Pädagogik anzuwendenden Maßstab siehe oben die Einleitung!

[2] Witte, J. A. Comenius. S. 16.

[3] Kaiser, J. A. Comenius. S. 137 und 145.

[4] Seiffarth, Joh. A. Comenius, III, S. 61 u. 70.

[5] Scherer, Die Pädagogik vor Pestalozzi, S. 247.

nennt die Didactica magna die erste systematische Päda=
gogik. Durch den systematischen Aufbau der teilweise schon
vor ihm bekannten Sätze zu einem die gesamte Pädagogik
umfassenden einheitlichen Ganzen habe Comenius den Grund
zur wissenschaftlichen Pädagogik gelegt. Mit dieser Ansicht
stimmt im allgemeinen auch Rißmanns[1]) Urteil überein,
das wir als letztes hier noch anführen: „Die dem Comenius
eigentümliche Leistung besteht hier wie auf anderen von ihm
bearbeiteten Gebieten in dem Aufbau des Systems. — Bei
Comenius wird die Pädagogik, die sich bei seinen Vorgängern
als eine mehr oder minder zusammenhangslose Menge von
Erfahrungssätzen darstellt, zur Wissenschaft. Er ist also nicht
mit Unrecht als der erste Vertreter der wissenschaftlichen
Pädagogik zu bezeichnen. Wohl gab es schon vor ihm
systematische Werke pädagogischen Inhalts. Dieselben be=
trafen jedoch beinahe ausschließlich den Unterricht allein.
Die Didactica magna scheint dagegen wirkich das erste
Werk zu sein, worin versucht wird, das Ganze der Erziehung
systematisch darzustellen“.

Daß die Pädagogik des Comenius in der Tat ein
System darstellt, lehrt schon ein Blick auf den Inhalt der
Didactica magna, von welchem im II. Teil eine eingehende
systematische Gliederung gegeben worden ist. Auch die oben
durchgeführte kurze Übersicht seiner ganzen Pädagogik in der
heute gebräuchlichen wissenschaftlichen Form ist ein Beweis
für deren durchaus wissenschaftlichen Charakter. Im folgen=
den ist nun noch der Nachweis zu führen, daß die Pädagogik
des Comenius formal und material ein bedeutsames päda=
gogisches System ist, d. h. daß sie einerseits im allgemeinen
den wissenschaftlichen Anforderungen in der Form oder Art
der Bearbeitung entspricht, anderseits aber auch inhaltlich
durchaus wertvoll ist.

a) Das pädagogische System des Comenius
in **formaler** Hinsicht.

α) Die Pädagogik des Comenius ist ein System ihrem
Umfange nach; denn sie enthält alle wichtigen und wesent=
lichen Teile eines wissenschaftlichen Systems, wenn auch

---

[1]) Rißmann, Das pädag. System des Comenius, S. 23.

nicht in der Gliederung, welche die heutige wissenschaftliche Pädagogik fordert. Es fehlt ihr weder eine allgemeine noch die besondere philosophische (d. i. die psychologische und ethische) Grundlage. Neben den vielen Bruchstücken einer historischen Pädagogik[1]) findet sich eine gründliche Erörterung der systematischen Pädagogik, aus welcher sich mit Leichtigkeit die zur theoretischen (Erziehungs- und Unterrichtslehre) und zur praktischen Pädagogik gehörigen Stücke aussondern lassen[1]). Sogar die Pflege des Leibes ist in ihrer Bedeutung für die Erreichung des Erziehungszieles gewürdigt und zur Darstellung gebracht worden.

β) Auch hinsichtlich der angewandten Methode kann man seiner Pädagogik den wissenschaftlichen Charakter nicht absprechen. Die Frage nach Möglichkeit und Notwendigkeit der Erziehung ist eingehend beantwortet worden[2]). Seine ganze Pädagogik beruht auf bestimmten philosophischen Axiomen, als deren hauptsächlichste bereits verschiedentlich scholastische, humanistische und realistische bezeichnet worden sind. Überall zeigt sich deutlich sein Bestreben, niemals bloß zusammenhanglose, aus der Erfahrung gewonnene einzelne Vorschriften zu geben, sondern die gegebenen Anweisungen mit dem zugrundeliegenden Prinzip in Verbindung zu bringen[2]).

b) Das pädagogische System des Comenius in **materialer** Hinsicht.

Aber die Pädagogik des Comenius entspricht nicht nur den formalen wissenschaftlichen Ansprüchen; sie hat auch hohen Wert durch die Vollkommenheit ihres Inhaltes. Das gilt sowohl für die theoretische als auch für die praktische Pädagogik.

α) Die Bedeutung der theoretischen Pädagogik.

1. Die Bedeutung der Erziehungslehre. a) Zunächst ist die Erziehungslehre des Comenius im Hinblick auf das Ziel der Erziehung höchst bewundernswert. „Comenius

---

[1]) Siehe oben S. 44—64!
[2]) Vergl. z. B. die in der Did. magna, XVI—XIX enthaltene allgemeine Unterrichtslehre, deren einzelne Sätze sämtlich aus dem Prinzipe der Naturgemäßheit abgeleitet sind.

betrachtet das gesamte Erziehungs- und Bildungswesen als Mittel zur Veredelung und Beglückung der Menschheit, zur Versöhnung der Völker, zur Erhebung über nationalen und konfessionellen Haber"[1]. Seine Pädagogik hat also einen durchaus ethischen und sozialen Charakter. Die Zeitbestimmung entbehrt auch nicht die psychologische Grundlage, insofern neben der intellektuellen Ausbildung auch sittliche und religiöse Bildung gefordert wird, der Mensch also als denkendes, fühlendes und wollendes Wesen bei der Erziehung zu betrachten ist.

b) Was die Mittel der Erziehung betrifft, so muß besonders hervorgehoben werden, daß Comenius als das bedeutsamste Erziehungsmittel die Einwirkung auf die Einsicht der Schüler ansieht, also gewissermaßen den Satz vom „erziehenden Unterricht" vertritt. Unterricht und Erziehung bringt er in die engste Verbindung[2]. Hierzu befähigte und nötigte ihn der intellektualistische Zug seiner Ethik[3], den er mit Sokrates und Herbart gemein hat. Da ferner nach Comenius die Erziehung nur in der fördernden Entwickelung der in der Natur des Menschen liegenden seelischen Anlagen besteht, diese natürliche Entwickelung aber nichts Gewaltsames in sich hat, so ergibt sich der wichtigste Satz als Motto der Erziehungslehre: omnia sponte fluant, absit violentia robus. Schläge und Zwang sind also unter normalen Umständen als Erziehungsmittel zu verwerfen. Es ist vielmehr eine milde Schulzucht einzuführen[4].

2. Die Bedeutung der Unterrichtslehre. a) Ein großer Vorzug der comenianischen Unterrichtslehre besteht darin, daß sie mit der ganzen übrigen Pädagogik in organischen Zusammenhang gebracht worden ist. Besonders verdient die Tatsache Erwähnung, daß Comenius Unterricht und Erziehung in engste Beziehung setzt, worauf soeben hingewiesen wurde.

b) Von hoher Bedeutung ist ferner der Umstand, daß er sich nicht mit einzelnen aus der Erfahrung gewonnenen

---

[1] Dittes, Schule der Pädagogik. S. 935.
[2] Vergl. Seiffarth, J. A. Comenius. S. 70.
[3] Siehe oben S. 35!
[4] Über die Schulzucht siehe Did. magna XXVI!

Grundsätzen begnügend, seine Unterrichtsregeln aus einem allgemeinen Prinzip ableitet, welches noch heute der Zentralbegriff der wissenschaftlichen Pädagogik ist, nämlich aus dem Begriffe „Natur"[1]. Zieht man in Betracht, daß noch bis in die jüngste Zeit hinein die in den pädagogischen Handbüchern gegebene Unterrichtslehre nichts weniger ist als eine wirklich wissenschaftliche Ableitung aus einem obersten Prinzipe, so kann man die Bedeutung der comenianischen Unterrichtslehre in dieser Hinsicht nicht zu hoch anschlagen.

c) Endlich wird mit Recht die Unterrichtslehre des Comenius wegen der Fülle von psychologisch richtigen Grundsätzen gepriesen. Welche im einzelnen dazu gehören, ist an anderer Stelle schon erörtert worden[2].

β) Die Bedeutung der praktischen Pädagogik

Die praktische Pädagogik des Comenius enthält sehr viele Vorschriften, welche heute bei der Einrichtung und Verwaltung unserer Schulen beachtet werden; zum Teil erscheinen sie aber auch heute als unerreichbare Ideale. Zu letzteren gehört in erster Linie der in der Didactica magna (Kap. XXVII bis XXXI) entwickelte Schülerorganisationsplan[3]. „Keiner der Pädagogen vor ihm hat einen so großartigen Schulorganisationsplan aufgestellt, weil keiner die Pädagogik prinzipiell erfaßte"[4]. Er verdient auch in der Tat das ihm von allen Seiten gespendete Lob, sowohl wenn man ihn als Ganzes ins Auge faßt als auch im Hinblick auf seine Bedeutung für die einzelnen Schularten, besonders für die Volksschule und die Schuleinrichtungen.

1. Die Bedeutung des Schulorganisationsplanes als Ganzes. a) Die theoretische Beurteilung ergibt, daß der Schulorganisationsplan des Comenius auf ethischem und psychologischem Fundament errichtet worden ist. Er ist psychologisch begründet, insofern er auf bestimmten Entwickelungsabschnitten des Körpers und des Geistes beruht und daher die gesamte Jugendzeit umfaßt. Er ist auch

---

[1] Über die mangelnde begriffliche Klarheit und die mangelhafte Verwendung dieses Prinzips siehe unten S. 90!
[2] Siehe oben S. 56 f.!
[3] Siehe Comenius III, S. 52—61 u. S. 67!
[4] Seiffarth, a. a. O. S. 84.

ethisch fundirt dadurch, daß die Ordnung der Schulen als notwendiges Mittel zur Erreichung der höchsten Ziele der Erziehung und des Menschenlebens überhaupt bezeichnet wird. Weil alle zu allen Tugenden erzogen werden sollen, so muß die gesamte Jugend, Knaben und Mädchen, Begabte und Unbegabte, arm und reich, den wohlgeordneten Schulen zugeführt werden; nur diese verbürgen sichern Erfolg.

b) Die Schulorganisation des Comenius besteht aber auch die Probe, wenn man sie mit Rücksicht auf die realen Zustände des Lebens beurteilt. Comenius ist einsichtig genug, um sich von der Unausführbarkeit der Forderung zu überzeugen, daß alle Schüler alle vier Bildungsanstalten durchlaufen sollen, eine Forderung, welche sich mit rein theoretischen Gründen durchaus rechtfertigen ließe. Darum sondert er in Rücksicht auf die vorhandenen Unterschiede des Standes und Berufes, der Beanlagung 2c. seine Erziehungsanstalten in niedere und höhere und bestimmt erstere (Mutterschule und Volksschule) als allgemeine Bildungsanstalten zur Vermittlung einer allgemeinen menschlichen und christlichen Bildung, letztere (Lateinschule und Universität) aber zur Aneignung der den führenden Ständen nötigen Kenntnisse. Bekanntlich hat unsere deutsche Schulorganisation sich nicht ganz im Sinne des Comenius gestaltet. Die Kinder bemittelter Eltern besuchen meistens die Volksschule, welche doch nach des Comenius Absicht eine allgemeine Bildungsschule sein sollte, überhaupt nicht, sondern treten sogleich in eine „höhere" Schule ein. Mit pädagogischen Gründen läßt sich diese Scheidung der Kinder nicht rechtfertigen, auch ist sie in sozialer Hinsicht beklagenswert. Ob aber das Streben nach der deutschen „Einheitsschule" die geschichtlich gewordene Ordnung unseres Schulwesens ändern wird, erscheint bei den sich leider immer mehr verschärfenden Klassengegensätzen vorläufig noch recht zweifelhaft. Die nicht pädagogisch gebildeten Kreise bringen diesem Wunsche nur sehr wenig Verständnis entgegen, und sogar innerhalb der Lehrerwelt fehlt es nicht an Gegnern der Einheitsschule.

2. Die Bedeutung der Schulorganisation für einzelne Schularten, besonders für die Volksschule. Obgleich Comenius einen großen Teil seiner theoretischen und praktischen Arbeiten auf Verbesserung der

höheren Schulen verwendet hat, so ist doch das, was er über die Organisation der Volksschule sagt, bei weitem bedeutungsvoller als die die Lateinschule betreffenden Anordnungen. Hoffmeister meint sogar, daß der Schwerpunkt der Verdienste des Comenius für unsere heutige Volksschule in der äußeren Organisation liege. Er habe den Begriff der Volksschule inbetreff des allgemeinen Bildungszieles, des Hauptbildungsstoffes und der Grundbildungsform zu seinem heutigen Umfang entwickelt[1]. Comenius gebührt in der Tat der Ruhm, der Volksschule in dem ganzen Bildungsplan eine klare und bestimmte Stellung mit einer ganz bestimmten Aufgabe zugewiesen zu haben. Begriff und Ziel der Volksschule sind durch ihn ein für allemal klar und bestimmt festgelegt. Die Idee einer selbständigen nationalen, einer Volksbildung mit eigenem relativen Abschluß ist zuerst von Comenius klar erfaßt worden[2], wenngleich die Idee der allgemeinen Volksschule implicite bereits durch die Grundprinzipien der Reformation gegeben war[3].

3. Die Bedeutung der Schulorganisation in Hinsicht auf einzelne Schuleinrichtungen. Sehr beachtenswert sind auch die für die äußeren Schuleinrichtungen gegebenen Fingerzeige. Bekanntlich war es der der Natur entlehnte Begriff der Ordnung, durch dessen Anwendung auf das Schulwesen Comenius eine Reihe von bedeutsamen Vorschlägen für die Einrichtung und Ausstattung der Schulen gewann. Er ist z. B. der Schöpfer des planvollen gemeinsamen Unterrichts und der eigentliche Urheber eines methodischen Klassenunterrichts. Er forderte die Verwendung methodisch bearbeiteter Lehrbücher, die Benutzung von Veranschaulichungsmitteln, die Anlegung von Lehrmittelsammlungen, die Anfertigung von Lehrplänen und Pensenverteilungen. Er gab auch für die Schulverwaltung treffliche Ratschläge 2c.[4]. Heute sieht man alle diese Einrichtungen als unentbehrlich und selbstverständlich für einen geordneten Schulbetrieb an; zur Zeit des Comenius aber waren sie fast gänzlich unbekannte Dinge.

---

[1] Hoffmeister, Comenius und Pestalozzi. S. 19 u. 68.
[2] Seiffarth, a. a. O. S. 85.
[3] Siehe Comenius I, S. 25 u. 26!
[4] Siehe die Darstellung der praktischen Pädagogik auf S. 58—64!

2. Comenius als Begründer der realistischen Päda=
gogik oder des „realen Realismus".

Comenius ist nicht nur der erste Systematiker der
Pädagogik, er ist im besonderen der Begründer einer ganz
neuen Richtung. Durch Anwendung des durch Baco wissen=
schaftlich begründeten Realismus auf die Pädagogik ist er
der Vater der realistischen Pädagogik, der Begründer des
„realen Realismus" geworden. Wenn auch infolge seiner
eklektischen Philosophie der Realismus nicht allein den Cha=
rakter seiner Pädagogik bestimmt hat, so läßt sich doch dessen
Einfluß in dreifacher Hinsicht nachweisen, nämlich inbezug
auf den Stoff, die Methode und das Ziel des Unterrichts[1].

a) Die Einführung der Realien als Stoff
des Unterrichts.

Zu den sog. sieben freien Künsten, welche in den höheren
Schulen des Mittelalters gelehrt wurden, gehörten auch
Arithmetik, Geometrie und Astronomie. Eine methodische,
auf die Anschauung gegründete Behandlung dieser Fächer
würde zur Betrachtung der Dinge, also zur Einführung der
Realien geführt haben. Daß es nicht geschah, hat seine
Ursache in der fast allein herrschenden scholastischen Philo=
sophie, welche eine dialektische, d. i. eine logische Schulung
als das Rüstzeug der theologischen und philosophischen
Wissenschaft ansah. Infolgedessen legte man auch in den
Schulen das Hauptgewicht auf die formale Ausbildung.
Formale Logik und die Formen der lateinischen Sprache
standen im Mittelpunkte des Unterrichts, und auch die An=
fänge der Astronomie, Geometrie und Arithmetik wurden in
derselben abstrakten Weise wie die sprachlichen und logischen
Disziplinen gelehrt. Die auf diese Weise erzielte forma=
listische Bildung war durchaus einseitig und unpsychologisch.
Einseitig war sie inbezug auf die Stoffauswahl; denn von
den beiden Gruppen des Seienden, dem Formalen und dem

---

[1] Um die Bedeutung des Comenius als Begründer des pädago=
gischen Realismus zu verstehen, ist eine Kenntnis der philosophischen
Richtungen und der pädagogischen Zustände jener Zeit nötig. Eine
kurze Darstellung derselben ist in Comenius I, S. 13—36 gegeben
worden. Man lese sie zum bessern Verständnis des folgenden noch ein=
mal durch!

Materialen, berücksichtigte sie nur die erstere. Es wurde also außer acht gelassen, daß die Denkformen oder Begriffe nichts anderes sind als logische Abstraktionen, welche das Materiale zur notwendigen Grundlage haben[1]). Man dachte also nicht daran, daß nur auf Grund der Beobachtung des Realen, auf Grund der „Anschauung", inhaltvolle Begriffe gewonnen werden können, und verfuhr also auch unpsycho= logisch. Die einseitige Stoffauswahl wurde auch vom Huma= nismus nicht überwunden. Wohl wurde durch seinen Ein= fluß den Realien ein breiterer Raum im Lehrplane zuge= wiesen; aber man beschränkte sich auf das, was man in den Schriften des Aristoteles, Plinius u. a. an naturwissenschaft= lichen Abhandlungen fand. An eine Beobachtung und Unter= suchung der Dinge selbst dachte man nicht. „Verbaler Rea= lismus" ist dieses Verfahren von Raumer genannt worden. Erst Comenius hat diese Einseitigkeit überwunden, indem er auf die Natur selbst als Objekt des menschlichen Erkennens (neben Gott und Mensch) hinwies und so den verbalen Realismus in einen realen Realismus verwandelte. Als Beweis für diese Behauptung genügt schon der Hinweis auf den Inhalt der Janua, des Orbis pictus und der Schola ludus. Man vergleiche ferner die für die Mutterschule in der Didactica magna (Kap. XXVIII) und im Informa= torium geforderte Behandlung realer Stoffe, die Fächer der Volksschule nach Kap. XXIX der Did. magna, den Lehr= plan der lateinischen Schulen in Kap. XXX, der neben den beiden Gruppen, den sieben freien Künsten und der Ethik und Theologie, auch die realen Wissenschaften Physik, Geographie, Chronologie und Geschichte enthält. Hier fordert Comenius sogar, daß die Realien der Dialektik, Rhetorik und Ethik voranzustellen seien; das sei die natür= liche und darum allein richtige Reihenfolge[2]).

Für die Aneignung der realen Kenntnisse ist aber, be= sonders in der Mutter= und der Volksschule, die Mutter= sprache viel geeigneter als die lateinische Sprache. Eine

---

[1]) Anm.: Vergl. den Satz in Kants Kritik der reinen Vernunft: „Anschauungen ohne Begriffe sind blind, Begriffe ohne Anschauungen sind leer"!

[2]) Vergl. Comenius III, S. 59!

grünbliche realiſtiſche Bildung iſt ohne eingehende Kenntnis
der Mutterſprache unmöglich. Dieſe Erkenntnis war (neben
anderen) für Comenius der Grund, daß er das willkürliche
Überſpringen der Mutterſprache verurteilte; vielmehr forderte
er zuerſt die Kenntnis der Dinge in der Mutterſprache, um
dadurch ein bloß verbales Wiſſen der Realien in der latei-
niſchen Sprache zu verhüten[2]).

b) Die Verbeſſerung der **Methode** durch Anwendung des realiſtiſchen Satzes vom Parallelismus der Worte und Sachen.

In der Methodus novissima hat Comenius ſelbſt
neben der lückenloſen Stufenfolge des Unterrichts und dem
leichten, angenehmen, ſchnell fördernden Verfahren beim
Unterricht, welches die Selbſttätigkeit der Schüler in An-
ſpruch nimmt, den Parallelismus der Dinge und
Worte als ein Hauptſtück ſeiner Methode bezeichnet. Der
große Erfolg ſeiner Janua iſt in der Hauptſache auf die
Anwendung dieſes Grundſatzes bei Bearbeitung dieſes Buches
zurückzuführen[1]). Er iſt auch vollkommen begreiflich, weil
in dieſem Satze das reale Unterrichtsprinzip mit dem formalen in enge Verbindung geſetzt wird.

Für den Unterricht ergeben ſich aus dieſem Grundſatze
drei wichtige Folgerungen: α) Sollen Worte nur in Verbindung mit den Sachen gelehrt werden, ſo heißt das mit
andern Worten: es ſoll anſchaulich unterrichtet werden,
oder alles ſoll ſoviel als nur immer möglich den Sinnen
vorgeführt werden, nämlich das Sichtbare dem Geſicht, das
Hörbare dem Gehör ꝛc. Alſo ſchon Comenius hat klar erkannt, was ſpäter von Peſtalozzi ſo eindringlich betont
wurde, nämlich daß die Anſchauung das abſolute Fundament
aller Erkenntnis ſei.

β) Damit aber auch dieſes Prinzip in den Schulen tat-
ſächlich zur Anwendung kommen kann, ſind Veranſchau-
lichungsmittel nötig. Es muß alſo jede Schule mit
einer Sammlung von Naturgegenſtänden oder auch, als

---

[1]) Did. magna, Kap. XXIX, 3 u. 5.
[2]) Vergl. Comenius I, S. 52 und Comenius II, S. 56 f.!

Erſatz der Dinge, mit Modellen und Bildern ausgeſtattet ſein [1].

γ) Mit dem Satze vom Parallelismus der Worte und Sachen hängt auch der Begriff der **Konzentration** der Unterrichtsfächer zusammen. Wohl hat Comenius ihn nicht umfaſſend erörtert; aber aus dem rerum et verborum connubium (der Ehe zwiſchen Worte und Sachen) folgte „der bekannte im großen Stile angelegte Verſuch, den Sprech= und den Sachunterricht miteinander zu ver= binden[2]“.

c) Das realiſtiſche (utilitariſtiſche) **Ziel** der Bildung: Die praktiſche Anwendung des Gelernten.

Der realiſtiſche Charakter der comenianiſchen Pädagogik zeigt ſich ſchließlich auch in der Beſtimmung des Zieles der Erziehung. Wie Baco gelehrt hatte: „Wiſſen iſt Macht“, weil es zur Beherrſchung der Natur dient, ſo vertritt Co= menius die pädagogiſche Konſequenz dieſes Satzes, indem er als Zweck der den Kindern zu vermittelnden wiſſenſchaft= lichen Bildung hinſtellt, dieſe zur Beherrſchung der ſie um= gebenden Verhältniſſe zu befähigen[3]. Nichts ſoll gelehrt und gelernt werden, was nicht auch im Leben ſich praktiſch verwerten läßt. Aus dem Realismus folgt alſo der utili= tariſtiſche Zug der comenianiſchen Pädagogik[4].

3. Comenius als Begründer eines chriſtlichen Erziehungsſyſtems.

Als Biſchof der böhmiſch=mähriſchen Brüdergemeinde ſtellt ſich Comenius auch als Pädagog auf einen entſchieden chriſtlichen Standpunkt. Wie er chriſtlicher Theolog iſt, eine chriſtliche Panſophie erfinden will, wie er als chriſtlicher Philoſoph Glauben und Wiſſen miteinander zu verſöhnen ſtrebt, ſo kennt er auch keine andere als eine chriſtliche Päda=

---

[1] Siehe oben S. 60: Die Ausſtattung der Schulen!

[2] W. Müller, a. a. O. S. 32. — Wie Comenius von ſeiner Panſophie aus zu der Forderung kam, daß das geſamte Wiſſen eine organiſche Einheit ſein müſſe, wie er infolgedeſſen zu komparativen, enzyklopädiſchen und konzentriſchen Lehrgängen gelangte, iſt in dem Ab= ſchnitte über die Panſophie dargeſtellt worden. Vergl. oben S. 13 ff.!

[3] Vergl. Did. magna, Kap. IV, 1—4.

[4] Siehe oben S. 11!

gogik. Er baut sein pädagogisches System „auf dem festen Grunde der christlichen, der freien evangelischen Lebens=anschauung auf"[1]). Es ist natürlich von der größten Be=deutung, daß der erste Begründer einer wissenschaftlichen Pädagogik einer ausgeprägt christlichen Weltanschauung huldigt. Daß unsern Schulen (im Gegensatze zu religions=losen Schulen des Auslandes) bis heute der christliche Cha=rakter erhalten geblieben ist, daß auch heute noch die christ=liche Schule so warme Verteidiger findet, dürfte zum Teil eine Wirkung der christlichen Pädagogik des Comenius sein. Sie bildet ein heilsames Gegengewicht gegen die einseitige Betonung des Humanitätsprinzips, welche die Bedeutung des religiösen Moments nicht genügend würdigt, wie wir sie z. B. in der Pädagogik Rousseaus finden.

a) Der christliche Charakter der Erziehungs=lehre.

Die ganze Erziehung ist im christlichen Geiste zu bieten, ist doch deren höchstes Ziel die ewige Seligkeit in der Ge=meinschaft mit Gott. Alle sonstigen Ziele sind diesem unter=zuordnen. Die Erziehung zur Religiosität ist darum von ungleich höherem Wert als die Vermittlung wissenschaft=licher Bildung oder auch der Tugend[2]). Alle pädagogischen und sozialen Reformen haben ja schließlich nur den Zweck, das Kommen des Reiches Gottes vorzubereiten[3]).

b) Der christliche Charakter der Unter=richtslehre.

Die sicherste und untrüglichste Quelle der Wahrheit ist Gott selbst, dessen besondere Offenbarungen dem Menschen in der Bibel niedergelegt sind. Mit Hilfe der göttlichen Offenbarungen soll er die aus der Vernunft und aus der Natur gewonnenen Erkenntnisse prüfen, ergänzen oder be=richtigen. Für den Unterricht ergibt sich hieraus ein Zwei=faches: α) dem Religionsunterricht gehört eine zentrale Stel=lung im Lehrplan aller Schulen und β) auch der Unterricht

---

[1]) Seiffarth, a. a. O. S. III.
[2]) Den näheren Nachweis siehe oben S. 3, S. 44 u. 45!
[3]) Vergl. Criegern, a. a. O.

in den andern Fächern ist in christlichem Geiste zu erteilen.
Es ist z. B. die Frage, wieweit die alten Klassiker in der
Schule zur Verwendung kommen sollen, in erster Linie nach
christlichen Grundsätzen zu entscheiden. Wie für Comenius
das A und O alles Unterrichts die Beziehung auf Gott ist,
lehrt u. a. auch der Orbis pictus. Das erste Bild ist eine
symbolische Darstellung des dreieinigen Gottes, die letzten
Abbildungen veranschaulichen die Vorsehung Gottes und das
jüngste Gericht. Das ganze Buch ist also gleichsam eine
Illustration des Gedankens der comenianischen Theosophie:
Aus Gott ist alles geflossen, zu Gott kehrt alles zurück,
oder: Gott ist Urgrund und Urquell aller Wesen; Gott ist
auch das Ziel aller menschlichen Entwickelung.

II. Die Mängel des comenianischen Systems.

In der Einleitung wurde darauf hingewiesen, daß bei
der Beurteilung des comenianischen Systems ein zwei=
facher Maßstab angewendet werden müsse, um seine Be=
deutung in rechter Weise zu würdigen. Es müsse seine
Pädagogik zunächst auf Grund der zu seiner Zeit vor=
handenen pädagogischen Zustände und Bestrebungen beurteilt
werden. Das ist in dem vorigen Abschnitte geschehen, und
das Ergebnis war, daß Comenius nicht nur der erste Syste=
matiker der Pädagogik, sondern im besonderen auch der Be=
gründer einer neuen pädagogischen Richtung, des pädago=
gischen Realismus, und der Urheber eines christlichen Er=
ziehungssystems sei. Legt man aber bei der Kritik einen
absoluten Maßstab an, d. h. beurteilt man die Pädagogik
des Comenius nach Maßgabe derjenigen Anforderungen, die
heute an ein wissenschaftliches System gestellt werden, so
ergibt sich eine Reihe von solchen schwerwiegenden Mängeln,
daß verständlich wird, wenn manche Beurteiler seine Päda=
gogik überhaupt nicht ein System, sondern nur eine
pädagogische Enzyklopädie nennen. So heißt es z. B.
in der Pädag. Enzyklopädie von Rein: „Ein eigentliches
pädagogisches System hat Comenius nie entworfen", und
in dem hervorragenden wissenschaftlichen Werke der Geschichte
der Pädagogik von Schmidt: „Die Didactica magna

ist keine Erziehungslehre im gewöhnlichen Sinne des Wortes, sondern eine Enzyklopädie des Erziehungs= und Unterrichts= wesens, ein Werk, das sich über alle möglichen allgemeinen und speziellen Fragen der Didaktik und Methodik ausspricht"[1].

Im folgenden sollen die Hauptmängel des comenia= nischen Systems übersichtlich dargestellt werden. Es wird nachgewiesen werden, inwiefern die von Comenius ange= wandte Methode unwissenschaftlich ist, und was sachlich oder inhaltlich heute anfechtbar erscheint.

1. Die Mängel des comenianischen Systems in **formaler** Hinsicht.

a) Die mangelnde Einheit des Systems.

α) Der Mangel einer einheitlichen philoso= phischen Grundlage.

Ein wissenschaftliches pädagogisches System muß vor allem strenge Einheit oder Einheitlichkeit aufweisen. Es soll der Ausfluß einer einheitlich=geschlossenen philosophischen Weltanschauung sein. Es soll ein einziges oberstes Prinzip enthalten, mit welchem alle einzelnen Regeln und Grund= sätze mittelbar oder unmittelbar in Verbindung stehen. Diesen Bedingungen entspricht das comenianische System z. T. überhaupt nicht, z. T. nur sehr mangelhaft. Wohl fehlt ihm die philosophische Grundlage nicht[2]; aber seine Philosophie entbehrt durchaus der Einheitlichkeit. Die ver= schiedenen Bestandteile seines Eklektizismus: Scholastik, Hu= manismus und Realismus sind nicht zu einem widerspruchs= losen Ganzen zusammengefügt worden. Vielfach versucht er überhaupt nicht, die Gegensätze miteinander auszugleichen. Wo er einen solchen Ausgleich gegeben zu haben glaubt,

---

[1] Vergl. die oben S. 65 u. 66 mitgeteilten Urteile, nach welchen Comenius auf die Bezeichnung als Systematiker der Pädagogik mit Recht Anspruch erheben darf. Die verschiedene Beurteilung erklärt sich aus der Verschiedenheit des bei der Kritik verwendeten Maßstabes. Nur in relativem Sinn ist Comenius ein Systematiker; mit den neueren und neuesten Systematikern darf er nicht auf eine Linie gestellt werden, wie die im folgenden zu gebende Darstellung der Mängel seines Systems beweisen wird.

[2] Siehe die Darstellung der philosophischen Grundlagen oben Seite 7 ff.!

da hat es sich vor der wissenschaftlichen Forschung als
Täuschung erwiesen, wie z. B. die in der „Physik" erstrebte
Versöhnung der Scholastik mit der Naturphilosophie. So
finden sich denn in seinem System Humanismus und Realismus, Empirismus und Rationalismus, Augustinismus und
Pelagianismus, Theismus und Pantheismus und ähnliche
Gegensätze ziemlich unvermittelt nebeneinander. Es hat somit die comenianische Philosophie neben den Vorzügen auch
alle Mängel des Eklektizismus. Da jedes philosophische
System eine gewisse Einseitigkeit besitzt, so mag es verlockend
erscheinen, aus verschiedenen Systemen die Wahrheitsmomente
herauszugreifen und aus ihnen eine neue Philosophie auf-
zubauen. Es gleicht aber jedes von einem tief- und scharf-
sinnigen Denker begründete System einem Baue mit einem
folgerichtig durchgeführten Stile. Wie nun ein Bauwerk,
welches etwa aus Teilen des gotischen, romanischen, byzan-
tinischen Stils zusammengesetzt wäre, ein elendes Flick- und
Stückwerk sein würde, das nicht den Gesetzen der Ästhetik
entspräche, so bietet auch eine eklektische Philosophie in der
Regel nur ein äußerliches Zusammen von heterogenen Ele-
menten, das strengen logischen Ansprüchen nicht genügt.
Eklektische Systeme tauchen darum auch in der Regel in
epigonenhaft gearteten Zeitperioden auf, wo die zum Aufbau eines einheitlich geschlossenen Systems erforderliche Kraft
folgerichtigen und ausdauernden Denkens fehlt. Hieraus wird verständlich, daß auch Comenius mit seiner eklektischen Philosophie nicht eine beachtenswerte Stellung in der
Geschichte der Philosophie sich errungen hat.

β) Der Mangel einer einheitlichen Bestimmung
des Zieles der Erziehung.

Die seiner Philosophie anhaftenden Mängel gingen
auch auf sein pädagogisches System über. Auch diesem
mangelt es an Einheitlichkeit und Geschlossenheit. Das gilt
vor allem in Hinsicht auf die Bestimmung des Zieles der
Erziehung. Wie sich in der Philosophie des Comenius drei
Hauptrichtungen unterscheiden lassen, so kann man in seiner
Pädagogik eine dreifache Bestimmung des Zieles der Erziehung erkennen: die christliche, realistische und die huma-

nistische Zielbestimmung[1]). Wohl wird das religiöse Ziel (die ewige Seligkeit) in der Didactica magna als das höchste hingestellt, aber unvermittelt und unverbunden stehen daneben Stellen, nach welchen man den Humanismus oder den Realismus als das für die Erziehung maßgebende Prinzip ansehen muß. Es ist z. B. das realistische Ziel (Beherrschung der Natur) nicht wissenschaftlich aus dem christlichen Ziele der Erziehung abgeleitet; denn der Hinweis darauf, daß der Mensch als Ebenbild des allmächtigen Gottes zum Herrn der Geschöpfe bestimmt sei, ist zwar in religiöser Hinsicht unanfechtbar, ist aber nichts weniger als ein wissenschaftlicher Beweis[2]). Oder das Humanitäts= prinzip ist nicht in Einklang gebracht mit der religiösen Lehre von der Erbsünde. Inbezug auf diesen Punkt urteilt Schmidt (a. a. O. S. 368): „Diese Zwiespältigkeit, dieses Zweikammersystem seines Geistes verursacht einen tiefen Riß durch sein ganzes Erziehungssystem und liefert den Beweis, daß mit dem Auftreten des Comenius die Zeit der natur= gemäßen Erziehung, der entwickelnd erziehenden Menschen= bildung noch nicht anbrechen konnte. Zu ihrer vollständigen Begründung gehörte ein Mann aus einem Gusse".

γ) Die mangelhafte Ableitung der Konsequenzen.

1. Von einem Systeme verlangt man, daß aus dem obersten Prinzip oder aus den grundlegenden Sätzen klar und bestimmt die übrigen Regeln abgeleitet sind. Auch diese Bedingung ist bei Comenius nur mangelhaft erfüllt. Es fehlt z. B. eine wissenschaftliche Ableitung der Unter= ziele (Bildung, Tugend und Frömmigkeit) aus dem obersten Ziele der Erziehung (die ewige Seligkeit); vielmehr gewinnt sie Comenius durch Auslegung des Bibelspruchs Gen. 1, 26. Eine wissenschaftliche Ableitung war ja auch überhaupt nicht möglich, da die Bestimmung des höchsten Zieles ganz im Reiche des Transzendenten liegt. Darum mußte Comenius, „um etwas (im Hinblick auf das oberste Ziel unmittelbar Wertvolles) zu finden, das der Erziehung als Leitstern und der pädagogischen Wissenschaft als Ausgangspunkt dienen

---

[1]) Das Nähere hierüber siehe oben S. 45—47!
[2]) Rißmann nennt ihn sogar eine theologische Spielerei.

könnte und zugleich zu jenem obersten Ziele hinführen
sollte"[1]), gleichsam erst wieder in die Wirklichkeit herab-
steigen. Das geschah eben durch die Aufstellung jener drei
Unterziele, von welchen nicht nachgewiesen wird, inwiefern
sie zur Erreichung des höchsten Zieles notwendig sind. Es
fehlt z. B. der Nachweis, inwiefern zur Erlangung der
ewigen Seligkeit die wissenschaftliche Bildung erforderlich ist.
Wenn man hier wieder auf die Begründung hinweisen
wollte, daß der Mensch als Gottes Ebenbild auch ein Abbild der göttlichen Allwissenheit sein müsse, so gilt dasselbe,
was vorhin (S. 80) über die Allmacht Gottes und das
utilitaristische Ziel der Erziehung gesagt worden ist.

2. Es ist zwar ein großer Vorzug der comenianischen
Pädagogik, daß sie Unterricht und Erziehung in enge
Beziehung setzt[2]); aber die Art, wie dieses geschieht, ist
mangelhaft. Zwar hat Comenius richtig erkannt, daß zur
Erzielung sittlicher und religiöser Bildung kein zuverlässigeres
Mittel vorhanden sei als die planmäßige, zielbewußte Einwirkung auf das Vorstellungsleben. Dennoch hat Rißmann
Recht mit der Behauptung, daß der methodologische Teil
der comenianischen Pädagogik mit den grundlegenden Fest-
setzungen nur äußerlich zusammenhängt; es fehle das innere
Band[3]). Man vermißt nämlich den Nachweis, inwiefern
der Unterricht erziehend wirkt, d. h. es fehlt die Untersuchung, inwiefern die Einwirkung auf die denkende Seite
der Seele das Fühlen und Wollen oder die Motive des
menschlichen Handelns beeinflußt[4]). Comenius war nicht imstande, eine solche Beweisführung zu geben; dazu waren seine
Psychologie und Ethik viel zu unvollkommen[5]). In psychologischer Hinsicht stand z. B. seine Auffassung von dem starren
Nebeneinander der einzelnen Seelenvermögen dem Nachweis
ihrer gegenseitigen Einwirkung aufeinander entgegen.

3. Mangelhaft ist endlich auch die Ableitung der
einzelnen Unterrichtsgrundsätze aus dem zugrunde

---

[1]) Walter Müller, a. a. O. S. 21.
[2]) Siehe oben S. 34 u. 68!
[3]) Rißmann, a. a. O. S. 32.
[4]) Diesen Nachweis vermißt man leider auch meistens in unseren
pädagogischen Handbüchern.
[5]) Siehe weiter unten S. 88 u. 91!

legenden Prinzip „Natur". In willkürlicher Wei[se]
bestimmte Vorgänge in der äußeren Natur herau[s]
und aus ihnen in ebenso willkürlicher Weise die
Sätze abgeleitet. Die Folge davon ist, daß die U[...]
lehre des Comenius eines systematischen Charakters
Sie gehört daher in formaler Hinsicht zu den
Formen der Didactica magna, obgleich sie inhal[t...]
voll ist[5]). Sie ist so unübersichtlich, daß es kau[m]
ist, die vielen Regeln dem Gedächtnis einzuprägen,
denn beim praktischen Gebrauche zur Anwendung zu
Dieser Mangel hat seinen Grund zunächst darin
Unterrichtsprinzip „Natur" gerade an dieser
einseitig auf die sog. objektive Natur bezogen n[...]
begreift, daß dabei eine systematische Unterrichtsl[...]
ich erzielt werden konnte[6]). Daß aber Come[nius]
Begriffe gerade hier diese Deutung gab, erklärt
daß seine Psychologie viel zu mangelhaft war,
gediegne Quelle für die theoretische Ableitung von
grundsätzen zu sein. Er war also gezwungen,
der Entwickelung der menschlichen Natur aus [...]
äußeren Natur seine Schlüsse zuziehen. Die u[...]
und unsystematische Unterrichtslehre ist übrig[ens]
Folge der mangelnden Einheit in den höhere[n]
Da weder die philosophischen Grundrichtunge[n]
zu Einklang gebracht worden sind, noch auch d[...]
liche Bildung als notwendige Bedingung des
der Erziehung erwiesen worden ist, auch
bindung von Erziehung und Unterricht nicht
genügend begründet worden ist, so durfte au[...]
Unterrichtslehre nicht einen streng logischen [...]

[5]) Dietr. Comenius III, S. [...]
[...]
[6]) [...]

b) Die mangelhafte Untersuchung der zugrunde liegenden Voraussetzungen.

α) Die Möglichkeit der Erziehung.

Daß Erziehung möglich ist, hat Comenius dadurch begründet, daß die Samen, d. h. die Anlagen zur wissenschaftlichen Bildung, Sittlichkeit und Religiosität in der Menschennatur liegen. Aber es fehlt der psychologische Nachweis, wie durch den Unterricht eine Entwickelung der Geisteskräfte stattfinden könne. Die plan- und zielvolle Einwirkung auf das Kind, die Möglichkeit der Erziehung, hat zur unbedingten Voraussetzung, daß das Seelenleben sich nach bestimmten Gesetzen entwickelt. Letzteres ist ja auch die Voraussetzung für die Möglichkeit der Psychologie als Wissenschaft, deren Aufgabe zum Teil in der Klarstellung der Gesetze des Seelenlebens besteht. Diese Frage nach Gesetzmäßigkeit des Seelenlebens als Vorbedingung für die Möglichkeit der Erziehung hat Comenius nicht berührt. Für seine mangelhafte Psychologie existiert sie überhaupt noch nicht. Um so weniger war er imstande, das ihm vorschwebende Ideal einer unbedingt zuverlässigen Unterrichtsmethode (gleichsam einer Unterrichtsmaschine, einer geistigen Buchdruckerei) zu erreichen [1].

β) Die Notwendigkeit der Erziehung [2].

Die Entwickelung der Anlagen (so lehrt Comenius), ist notwendig, wenn der Mensch zum Menschen gebildet werden soll. Aber die auf Grund dieses Satzes zu erwartende psychologische Begründung gibt er nicht. Anstatt des psychologischen Nachweises, daß echte, edle Menschlichkeit nur durch Entwickelung der (zum Wesen des menschlichen Bewußtseins)

---

[1] Allerdings ist eine unfehlbare, absolut sicher wirkende Methode auch heute noch nicht erfunden trotz der hervorragenden Pflege, deren sich die psychologische Wissenschaft erfreut. Das erklärt sich einerseits aus der Vielgestaltigkeit des menschlichen Seelenlebens im allgemeinen und in den einzelnen Persönlichkeiten, anderseits aber aus der Tatsache, daß der Gesetzmäßigkeit des geistigen Geschehens die Lehre von der Freiheit (des Willens) gegenübersteht. So lange die Lösung dieses Gegensatzes noch zu dem „ignoramus ignorabimus" gehört, so lange wird der Erzieher mit dem Fehlschlagen seiner erziehlichen Maßnahmen zu rechnen haben trotz sorgfältigster Beobachtung der Gesetze des geistigen Geschehens.

[2] Siehe oben S. 67!

gehörigen Hauptmomente, daß höhere Geistesklarheit nur durch planmäßige Förderung des Bewußtseinsinhalts erreicht werden kann, gibt er Analogieschlüsse, Hinweise auf die Erfahrung und (zwei) Beispiele à la Kaspar Hauser[1]).

c) Der Mangel an klaren Begriffsbestimmungen.

Als formaler Mangel ist zuletzt auch noch die ungenügende Begriffsbestimmung in der Pädagogik des Comenius zu erwähnen. In dieser Hinsicht genügt er nicht im entferntesten den modernen wissenschaftlichen Ansprüchen. Eine sorgfältige Begriffsentwickelung, mit welcher heute jede wissenschaftliche Untersuchung zu beginnen pflegt, sucht man bei ihm vergebens. Nicht einmal über „Erziehung", Unterricht" u. a. sind klare, fest begrenzte Bestimmungen gegeben. Es urteilt W. Müller (a. a. O. S. 28) kaum zu scharf, wenn er behauptet, daß sich bei Comenius keine Spur von Begriffsbestimmung finde. Die von Baco geforderte Induktion rühmt er zwar; aber für seine die ganzen Wissenschaften umfassenden Pläne hält er sie unzureichend. Er wendet sie weder in seiner Unterrichtsmethodik noch überhaupt in seinen pädagogischen Untersuchungen an. Seine mangelhaften Deduktionen sind oben schon dargestellt worden. Dagegen ist er ein Freund der Analogieschlüsse, der sog. synkritischen Methode, welchen die heutige Wissenschaft keine beweisende, sondern nur erläuternde Kraft zuerkennt. Bereits die Zeitgenossen machten ihn auf die Schwäche seiner Beweisführung (allerdings vergebens) aufmerksam, indem sie ihm den Satz entgegenhielten: Similia illustrant quidem, non autem probant (d. h. Analogien erläutern zwar; aber sie beweisen nichts).

2. Die Mängel des comenianischen Systems
in **materialer** Hinsicht.

a) Die mangelhafte philosophische Grundlage.

α) Die Mängel der allgemeinen philosophischen Grundlage.

1. Die scholastische Grundlage. Daß die eklektische Philosophie des Comenius für sein pädagogisches System

---

[1]) Siehe die Did. magna, Kap. VI!

formale Mängel zur Folge hatte, ist bereits bewiesen worden. Sie war aber auch inhaltlich eine ungeeignete Grundlage für eine wissenschaftliche Pädagogik. Das gilt zunächst hinsichtlich der in ihr sich findenden scholastischen Anschauungen[1]). Diese sind die Ursache, daß seine Pädagogik unausgeglichene und z. T. unausgleichbare Widersprüche zeigt. Der bedeutsamste von allen ist der Gegensatz zwischen seinem Humanitätsprinzip und der kirchlichen Lehre von der Erbsünde. Noch heute hat jedes pädagogische System, welches einerseits den Anforderungen der Wissenschaft genügen, anderseits aber auch ein spezifisch christliches sein will, mit großen Schwierigkeiten zu kämpfen, welche durch jenen Gegensatz veranlaßt werden. Noch heute sind Glauben und Wissen, Offenbarung und Vernunft, Religion und Wissenschaft unausgeglichene Gegensätze, wie ein Blick auf die Kämpfe der heutigen Theologie und auch auf die im eigenen Herzen durchzukämpfenden Konflikte beweisen. Darum ist es m. E. auch heute noch unmöglich, ein allen theoretischen Anforderungen genügendes christliches System der Pädagogik aufzustellen. Dadurch darf man sich aber nicht abhalten lassen, die Versuche, um zu einem solchen zu gelangen, zu wiederholen. Denn wie zur Erlangung wahrer Glückseligkeit zu dem Wissen der Glaube hinzukommen muß, wie zu den Ergebnissen der theoretischen Vernunft die Postulate der praktischen Vernunft die notwendige Ergänzung bilden, um dem menschlichen Leben Inhalt und Bedeutung zu geben, ebenso nötig ist — trotz der zu erwartenden theoretischen Widersprüche — die Durchbringung der theoretisch-wissenschaftlichen Pädagogik durch religiöse (christliche) Momente. Man kann also Comenius nur dankbar dafür sein, daß er seiner Pädagogik einen ausgeprägt christlichen Charakter gegeben hat. Was sie dadurch theoretisch an innerer Einheit verliert, das gewinnt sie an praktischer Brauchbarkeit. Es

---

[1]) In Comenius I, S. 13 wurde als das Wesentliche der Scholastik ihr Bestreben bezeichnet, Glauben und Wissen miteinander zu versöhnen, und es wurde behauptet, daß der scholastische Standpunkt weder für die Philosophie noch für alle übrigen Wissenschaften eine freie und erfolgreiche Entwickelung ermögliche; es habe darum auch die Scholastik keine andere als eine rein kirchliche Erfahrungspädagogik hervorbringen können.

ist allerdings zweifelhaft, ob Comenius jene durch seine scholastischen Anschauungen bewirkten Widersprüche, im besonderen den Gegensatz zwischen seinem Humanitätsprinzip (Entwickelung der in der Menschennatur liegenden Anlagen und Kräfte) und der kirchlichen Lehre (von der Erbsünde) klar erkannt hat. Pappenheim meint, daß der Gedanke der entwickelnden Erziehung sich zwar schon bei Comenius gefunden habe, aber erst anderthalb Jahrhunderte später, besonders durch Rousseaus Einfluß, zum Durchbruch gekommen sei. „Die Schwierigkeit, ihn mit der Strenge des dogmatischen Standpunktes zu vereinen, kennt Comenius. Aber die Anerkennung der Natur hatte sich in ihm zu nachdrücklich vollzogen, die dogmatische Seite trat bei den „Brüdern" nicht in dem Grade in den Vordergrund, daß er nicht die mildere Auffassung teilen sollte. Dagegen ist Scherer (a. a. O. Seite 246) der Ansicht, daß der Widerspruch zwischen Offenbarung und Vernunft dem Comenius nur ein scheinbarer sei. Es sei bei ihm stillschweigende Annahme und Voraussetzung, die Kräfte des Kindes zu entwickeln ohne Rücksicht auf ihre Verderbtheit oder Schwächung oder Wiedergeburt. Hoffmeister urteilt (a. a. O. S. 54), daß bei Comenius einerseits Anerkennung des positiv Guten im Menschen als notwendige Voraussetzung einer zu entwickelnden Bildung des Menschen zu finden sei; anderseits gebe es in seinen Schriften viele Sätze, die das Entgegengesetzte behaupteten. Dieser Widerspruch sei entweder aus der Unklarheit des Comenius in den höchsten Prinzipien zu erklären, oder man müsse annehmen, daß er in seinem Alter seinen Prinzipien untreu geworden sei. Am schärfsten ist in diesem Punkte wieder das Urteil Schmidts (a. a. O. S. 368): „Die Frage, wie Erziehung möglich sei, beantwortet Comenius nach Art der neueren Pädagogen: durch die Entwickelung der Anlagen. Daß sich dieser Gedanke mit der auf den Sündenfall fußenden dogmatischen Orthodoxie nicht verträgt, sieht er und weiß sich dadurch zu helfen, daß er annimmt, der Sündenfall habe unsere inneren Kräfte nicht ausgetilgt, sondern nur abgeschwächt — steckt also wie der Vogel Strauß den Kopf in den Sand, um die seinem System drohenden Gefahren nicht zu erblicken". Jedenfalls ist nicht zweifelhaft, daß Comenius inbezug auf die Lehre von der Erbsünde auf pelagianischem oder semipelagianischem Boden steht, und daß er auch garnicht anders konnte, wenn er sein pädagogisches Prinzip „Entwickelung der in der menschlichen Natur liegenden Kräfte" zur Durchführung bringen wollte. Daß er anderseits in seinen theologischen Schriften entschieden gegen den Pelagianismus Stellung nimmt, ist eine dogmatische Inkonsequenz, die sich v. Criegern aus dem einerseits mystischen, anderseits praktischen Charakter seiner Frömmigkeit erklärt.

2. Die realistische Grundlage. Comenius ist der Begründer der realistischen Pädagogik. Darin besteht z. T. seine Bedeutung. Die realistische Grundlage ist also nicht ein Mangel, sondern ein besonderer Vorzug seiner Pädagogik. Zu tadeln ist aber, daß er eine Verschmelzung des Realismus mit dem Humanismus nicht versucht hat[1]). Auch hat sein Realismus eine starke Hinneigung zum Utilitarismus. „Die Schwäche des Comenius liegt in seiner Begründung durch das Nützlichkeitsprinzip, das zu seichtem Enzyklopädismus führte"[2]). Allerdings machte sich dieser Zug in der Pädagogik des Comenius noch nicht unangenehm bemerkbar, da sie durch seine ideale christliche Auffassung gemildert wurde. Gleichwohl legte er durch seinen Realismus tatsächlich den Grund zu der oberflächlichen utilitaristischen Pädagogik, deren Hauptvertreter Basedow und die übrigen Philanthropen sind[3]).

3. Die humanistische Grundlage. Das humanistische Prinzip ist zwar für die comenianische Pädagogik höchst bedeutungsvoll[4]); ihm verdankt sie z. B. ihren hohen wissenschaftlichen Wert. Aber die volle Bedeutung dieses Prinzips hat er noch nicht erkannt. Darum hat er es auch nicht zu dem allein herrschenden Prinzipe seines pädagogischen Systems gemacht. Wohl fordert er Ausbildung der seelischen Fähigkeiten; aber der Durchführung dieses Grundsatzes stellte sich einerseits sein scholastischer Standpunkt, anderseits die mangelnde Klarheit des Begriffes „Natur" entgegen. Sub=

---

[1]) Über diesen formalen Mangel siehe oben S. 78 ff.!
[2]) Rißmann, a. a. O. S. 32.
[3]) Siehe Comenius I, S. 86.
[4]) Siehe oben S. 9 f. und Comenius I, S. 14—16.

jektive und objektive Natur werden von ihm noch nicht klar unterschieden. Auch gestattete seine mangelhafte Psychologie nicht den Aufbau einer Pädagogik auf einer rein humanistischen Grundlage[1]).

β) **Die Mängel der besonderen philosophischen Grundlage.**

1. **Die mangelhafte Psychologie** des Comenius ist schon mehrfach als eine Quelle für die Mängel seiner Pädagogik bezeichnet worden. Es fehlt nicht nur eine zusammenhängende übersichtliche Darstellung der Psychologie[2]), sondern es mangelt auch an begrifflicher Klarheit; auch ist ein mannigfaches Schwanken in der psychologischen Auffassung zu bemerken. Es fehlt sogar auch nicht an offenbaren Widersprüchen. Manche seiner psychologischen Lehren erscheinen uns heute geradezu kindlich. Es ist unnötig, im einzelnen die Mängel seiner Psychologie zu beweisen. Seine altmaterialistische Seelenauffassung, die Vermögenstheorie, die Erklärung der individuellen Verschiedenheiten, die physiologische Begründung der Lehre von den Temperamenten u. a. bedürfen heute einer näheren Beleuchtung nicht mehr[3]).

2. **Die mangelhafte Ethik.** Die Mängel seiner Ethik sind aus der oben (S. 34—38) gegebenen Darstelluug ohne weiteres ersichtlich. Als solche sind anzusehen das Fehlen eines ausgeprägt wissenschaftlichen (philosophischen) Charakters der Ethik, die Begründung der Tugend durch Hinweis auf die allenthalben in der Welt herrschende Harmonie, der oberflächliche Begriff der Tugend, der intellektualistische Grundzug seiner Ethik u. a. Diese mangelhafte Ethik hat er dadurch als Grundlage für die Teleologie seiner Erziehung brauchbar gemacht, daß er ihr einen entschieden christlichen Charakter gegeben, also infolge seiner scholastischen Anschauungen die philosophische Ethik mit der theologischen verschmolzen hat[4]).

---

1) Siehe oben S. 23 ff.!

2) Die übersichtliche Darstellung der Psychologie siehe oben!

3) Näheres über diese und ähnliche Mängel gibt die erwähnte Darstellung seiner Psychologie.

4) Bezüglich der Einzelheiten sei auch hier wieder auf die übersichtliche Tarstellung verwiesen.

b) Die Mängel des pädagogischen Systems.

α) Die Mängel der Erziehungslehre[1].

1. Die scholastische Zielbestimmung. Es wurde bereits auf die Schwierigkeiten hingewiesen, mit welchen ein wissenschaftliches System auf dogmatischer Grundlage zu kämpfen hat. Die Hauptschwierigkeit, welche aus dem Gegensatze von Glauben und Wissen, Religion und Vernunft für die Pädagogik sich ergibt, liegt im Gebiete der Teleologie der Erziehung. Das humanistische Prinzip verlangt, daß das oberste Prinzip der Ethik, d. i. das oberste Ziel der Menschheit und also auch der Erziehung, aus dem allgemeinen Wesen der menschlichen Natur abzuleiten, also die Ableitung aus einem religiösen (dogmatischen) Begriffe als dem voraussetzungslosen wissenschaftlichen Verfahren wiedersprechend abzuweisen sei. Nun ergibt sich aber bei der Analhse des menschlichen Bewußtseins, daß die religiöse Anlage oder das „methaphysische Bedürfnis" oder „der Hang des Menschen zum Wunderbaren" als ein wesentliches Moment des menschlichen Geistes anzusehen ist. Es verlangt also das Humanitätsprinzip eine sorgfältige Pflege der religiösen Entwickelung. Also gerade das religiöse Moment, welches zunächst auf Grund des Humanitätsprinzips nicht als allein das höchste Ziel der Erziehung bestimmend angesehen werden durfte, muß eben dieses Prinzipes willen sorgfältig entwickelt werden. Das bedeutet dann in der praktischen Durchführung ein Hinausgehen über eine immanente Philosophie und über eine rein „naturalistische" Pädagogik[2]. Somit ist es in wissenschaftlicher Hinsicht ein schwerer Fehler der comenianischen Erziehungslehre, daß sie anstelle der immanenten humanistischen Zielbestimmung die transzendente („ewige Seligkeit in der Gemeinschaft mit Gott") setzt, wodurch die unlösbare Schwierigkeit entstand, aus dem transzendenten

---

[1] Die formalen Mängel der Erziehungslehre (mangelnde Einheitlichkeit in der Zielbestimmung, mangelhafte Ableitung der Unterziele aus dem höchsten Ziele der Erziehung) siehe oben S. 78 ff.!

[2] Vergl. die Lehre Kants von der theoretischen und praktischen Vernunft! — Mit den angedeuteten ethischen Schwierigkeiten hängt es zusammen, daß in keinem Punkte der Pädagogik die Ansichten weiter auseinandergehen wie hinsichtlich des Zieles der Erziehung, vorausgesetzt, daß nicht eine bloß formale Bestimmung gegeben wird.

Ziele die für das diesseitige Leben zu erstrebenden Unter=
ziele abzuleiten. Daß in praktischer Hinsicht der religiöse
Charakter seiner Pädagogik ein großer Vorzug ist, wurde
bereits an anderer Stelle bewiesen.

2. Die realistische Zielbestimmung[1]. Wie der
Realismus der Pädagogik des Comenius ein stark utilita=
ristisches Gepräge gegeben hat, was sich besonders auch in
der Bestimmung des Zieles der Erziehung (Beherrschung
der Natur, praktische Verwertung des Gelernten) zeigt, ist
oben bereits erörtert worden, so daß an dieser Stelle sich
ein nochmaliges Eingehen erübrigt.

3. Die humanistische Zielbestimmung[2]. In der
Didactica magna, in dem „Ausgang aus den Schullaby=
rinthen" und in verschiedenen anderen Schriften finden sich
Stellen, welche ganz im Sinne der modernen wissenschaft=
lichen Pädagogik das Ziel der Erziehung bestimmen. Gleich=
wohl hat Comenius nicht in voller Tiefe das Wesen und
die Bedeutung des humanistischen Prinzips erkannt. Das
ergibt sich u. a. daraus, daß er die Bildung des Menschen
zum Menschen nicht als oberstes Prinzip an die Spitze
seines Systems gestellt, auch die in ihr liegenden Konse=
quenzen garnicht oder doch nur höchst mangelhaft gezogen
hat. Die Gründe für diese Tatsache siehe oben S. 23 ff.!

β) Die Mängel der Unterrichtslehre[3].

1. Das mangelhafte Prinzip („objektive Natur").
Die Quelle für die Mängel der Unterrichtslehre ist das ihr
zugrunde liegende Prinzip „Natur", welches hier ganz im
Sinne der äußeren oder objektiven Natur gefaßt wird. Aus
bestimmten schon öfters angegebenen Gründen (z. B. wegen
seiner mangelhaften Psychologie, des Widerspruchs des Hu=
manitätsprinzips zu seiner Scholastik) war Comenius ge=
zwungen, die äußere Natur als Lehrmeisterin für den Unter=
richt zu wählen. Er gelangte auf diese Weise zu der sog.
synkritischen Methode, deren Wesen in der Anwendung der

---

[1]) Siehe oben S. 46!
[2]) Siehe oben S. 45!
[3]) Die formalen Mängel (mangelhafte Verbindung des Unterrichts
mit der Erziehung), mangelhafte Ableitung der Unterrichtssätze aus
dem Prinzipe „Natur" siehe oben S. 78 ff.!

Analogieschlüsse beruht. Sie wurde mit Recht schon von seinen Zeitgenossen scharf angegriffen. Auch die heutige Wissenschaft macht von den Analogieschlüssen nur beschränkten Gebrauch, Analyse und Synthese, Deduktion und Induktion beherrschen die wissenschaftliche Methode. Analogieschlüsse können wohl erläuternde, aber niemals unbedingt zwingende Beweiskraft haben. Denn hält man fest, daß Dinggegebenes und Seelengegebenes, Bewußtsein und Unbewußtes, wenn auch in engster realer Verbindung doch durchaus zwei begrifflich wesentlich verschiedene Gebiete des Seienden sind, so begreift sich, daß es nicht ohne weiteres statthaft ist, die für das Gebiet des Dinglichen, Materiellen geltenden Gesetze auch als unbedingt gültig für das Seelische, Bewußtseiende anzusehen. Das ist um so weniger zulässig, weil es nichts anderes bedeutet, als die Gesetze der niederen Welt auf die einer höheren übertragen. Comenius hat freilich seine synkritische Methode gegenüber allen Angriffen seiner Zeitgenossen verteidigt. Von seiner pantheistisch gefärbten Naturphilosophie war er auch dazu berechtigt[1]).

2. Einzelne mangelhafte Unterrichtsgrundsätze. Aus dem mangelhaften Unterrichtsprinzip ist es zu erklären, wenn auch manche Unterrichtsregeln sich als nicht stichhaltig erweisen. Es ist nicht nötig, die zahlreichen Regeln und Grundsätze in dieser Richtung einer Musterung zu unterwerfen. Dem psychologisch geschulten Leser wird es leicht sein, die Spreu von dem Weizen zu sondern. Nur auf zwei wichtige Mängel sei an dieser Stelle aufmerksam gemacht. Der eine besteht darin, daß Comenius sich bei der Auswahl des Stoffes nicht durch psychologische, sondern ganz und gar durch realistische oder utilitaristische Rücksichten leiten ließ. Latein z. B. muß gelehrt und gelernt werden, weil es die Sprache der Gebildeten und Gelehrten ist, Griechisch und Hebräisch, weil die Theologen diese Sprachen nötig haben. Die Sprachen der Nachbarvölker sind zu erlernen, um sich mit ihnen verständigen zu können. Die Realien müssen Gegenstand des Unterrichts sein, damit der Mensch befähigt werde, die Dinge seiner Umgebung zu seinem Nutzen und Vorteil zu gebrauchen. Der andere Mangel bezieht sich auf

---

[1]) Den näheren Nachweis siehe oben S. 3!

die Unterrichtsmethode. Das synkritische Verfahren, dessen Wesen und Mangelhaftigkeit eben klar gelegt worden, ist die Ursache, daß Comenius zu einer psychologisch unanfechtbaren Unterrichtsmethode nicht durchgedrungen ist. Zwar spricht er einmal den Satz aus: „Nur das ist herauszuentwickeln, was die menschliche Natur in sich beschlossen enthält"; aber eine entwickelnde Methode im heutigen Sinne ist ihm fremd. Er empfiehlt die dialogische Lehrform, die genetische Erklärung, die Erläuterung aus den Ursachen 2c; aber ein Unterrichtsverfahren, welches die Schüler anleitet, den zu behandelnden Stoff sich selbst tätig zu erarbeiten, eine sog. geistige Mäeutik, kennt er nicht. Nicht einmal das von Baco begründete induktive Verfahren hat er in fruchtbringender Weise für die Methode des Unterrichts verwertet. Er ist eben „objektiver", nicht „subjektiver" Pädagog.

Schluß.

Zusammenfassung: Comenius als Begründer der wissenschaftlichen Pädagogik in seinem Verhältnis zu Rousseau, Pestalozzi und Herbart.

Das Ergebnis der Beurteilung ist kurz folgendes: Legt man an die Pädagogik des Comenius den strengen Maßstab der modernen wissenschaftlichen Pädagogik, so ergibt sich eine solche Reihe von schwerwiegenden Mängeln, daß man Bedenken tragen muß, sie überhaupt noch als wissenschaftliches System zu bezeichnen[1]. Die historische Beurteilung dagegen führt zu dem Resultat, daß Comenius nicht nur als erster Systematiker, sondern auch als der Begründer der neueren wissenschaftlichen Pädagogik überhaupt anzusehen ist. Denn er hat zuerst das in der Folgezeit so bedeutungsvoll gewordene Prinzip der Naturgemäßheit in die Pädagogik eingeführt. Aber der Begriff „Natur" ermangelte noch der Klarheit und Bestimmtheit und vor allem der notwendigen Unterscheidung von äußerer oder objektiver und subjektiver oder Menschennatur. Das Humanitätsprinzip hat er nicht als oberstes allein an die Spitze seines pädagogischen Systems gestellt und darum auch nicht aus ihm allein die Konse-

---

[1] Vergl. die oben (S. 77) mitgeteilten Urteile!

quenzen gezogen. Erst Rousseau stellte klar und bestimmt die Forderung auf, daß die Erziehung sich ihr Ziel und ihre Mittel durch die Natur des Menschen vorschreiben lassen müsse, und wies dadurch die wissenschaftliche Pädagogik auf die Psychologie und die (naturalistische) Ethik[1] als auf ihre notwendigen Fundamente hin. Aber auch der Naturbegriff Rousseaus ist mangelhaft, weil er mehr die individuelle Natur als das allgemeine Wesen der menschlichen Natur berücksichtigt, und auch gerade die wesentlichsten Momente des menschlichen Bewußtseins, die ethische und religiöse Anlage, nicht genügend bewertet. Diese Einseitigkeit wurde durch Pestalozzi beseitigt, indem er die naturgemäße, harmonische Entwickelung aller menschlichen Anlagen zum Zwecke der Herausbildung der wahren sittlichen Natur desselben als das neue Prinzip der Pädagogik aufstellte[1]. Aber eine im wahren Sinne des Wortes wissenschaftliche Pädagogik konnte auch Pestalozzi noch nicht schaffen, da ihm weder eine wissenschaftliche Psychologie noch eine wissenschaftlich begründete Ethik zur Verfügung stand. Er selbst aber war nicht imstande, diese Lücke auszufüllen. Es fehlte ihm die zur Lösung dieser Aufgabe erforderliche Kraft systematischen Denkens. Der eigentliche Begründer einer Pädagogik als Wissenschaft ist erst Herbart, der sich eine wissenschaftliche Ethik und Psychologie schuf und auf diesen beiden Hilfswissenschaften der Pädagogik das erste pädagogische System aufbaute. Wenn also Comenius mehrfach der Begründer der wissenschaftlichen Pädagogik genannt worden ist, so ist das nicht im absoluten, sondern nur im relativen Sinne zu verstehen. Er hat nicht ein pädagogisches System geschaffen, das allen modernen wissenschaftlichen Ansprüchen entspräche; wohl aber hat er den ersten Versuch einer vollständigen Theorie der Erziehung gemacht und der wissenschaftlichen Pädagogik durch die Einführung des Naturprinzips die Richtung ihrer Entwickelung vorgezeichnet[2].

---

[1] Vergl. die Abhandlung in den Comenius-Blättern (12. Jahrgang 1904, 2. Heft S. 36—38) von A. Schlenker, Der Erziehungsgrundsatz der Naturgemäßheit bei Comenius und Rousseau!

[2] Vergl. A. Vogel, Geschichte der Pädagogik als Wissenschaft, S. 92 und 161!

Anhang.

A. Die Comenius-Literatur.

Erst im Laufe des vorigen Jahrhunderts ist Comenius
der unverdienten Vergessenheit entrissen worden [1]. Waren
es zunächst nur wenige Schriften, die sich mit seinem Leben
und Wirken beschäftigten, so veranlaßte die Feier der Co=
menius=Gedenktage in den Jahren 1871 [2] und 1892 ein er=
freuliches Anschwellen der Comenius=Literatur. Besonders
hat sich die Comenius=Gesellschaft auch in dieser Hinsicht
verdient gemacht. In den von ihr herausgegebenen Monats=
heften und Comenius=Blättern ist eine große Anzahl von
wertvollen wissenschaftlichen Abhandlungen über Comenius
und seine Geistesverwandten enthalten. Im ersten Bande
der Monatshefte (Jahrgang 1892) findet sich auch ein Nach=
weis der Comenius=Literatur seit fünfzig Jahren (S. 77 ff.).
In den Bänden der späteren Jahrgänge ist sie bis auf die
neueste Zeit ergänzt worden. Auch in dem Katalog der
Pädagogischen Zentral=Bibliothek (Comenius=Stiftung) zu
Leipzig ist eine stattliche Reihe von Schriften über Comenius
enthalten. Es ist nicht leicht, aus der umfangreichen Lite=
ratur die besonders zu empfehlenden Schriften heraus=
zuheben. Je nachdem man eine besondere Richtung der
ungemein vielseitigen Gedanken des Comenius zu studieren
beabsicht, wird auch die Auswahl verschieden sein. Welche
der Schriften über Comenius mir besonders wertvoll er=
schienen sind, ist zum größten Teile aus den gegebenen
Anmerkungen ersichtlich. Es wäre zwecklos, hier noch eine

---

[1] Siehe Comenius I, S. 93—39!
[2] Die Feier des 200 jährigen Todestages wurde erst im Jahre
1871 begangen, weil irrtümlich das Jahr 1671 als das Sterbejahr des
Comenius galt. Nach der Grabschrift (siehe Com. I, S. 75!) ist er
schon im Jahre 1670 gestorben.

Aufzählung dieser und anderer Schriften zu geben. Nur ganz wenige besonders eingehende oder wertvolle Bücher seien hier genannt, allerdings unter dem Vorbehalte, daß alle nicht aufgezählten damit nicht etwa als minderwertig hingestellt werden sollen.

Die ausführlichste Schrift über das Leben des Comenius ist: Joh. Kvacsala, Das Leben des Joh. Amos Comenius. Leipzig 1892.

Die Theologie des Comenius hat v. Criegern gründlich dargestellt in seiner Schrift: Joh. Amos Comenius als Theolog. Leipzig und Heidelberg 1881.

Über die Philosophie des Comenius handelt Joh. Kvacsala, „Über J. A. Comenius' Philosophie, insbesondere Physik." Leipziger Dissertation. 1886.

Eine Schrift, welche sich ausschließlich mit der Pansophie des Comenius beschäftigt, ist: Dr. G. Beißwänger, Comenius als Pansoph. Stuttgart 1904.

Von den überaus zahlreichen Schriften über die Pädagogik des Comenius seien noch folgende genannt:

Walter Müller, Comenius ein Systematiker in der Pädagogik. Eine philosophisch = historische Untersuchung. Dresden 1887.

H. Hähner, Natur und Naturgemäßheit bei Comenius und Pestalozzi. Chemnitz 1890.

H. Hoffmeister, Comenius und Pestalozzi als Begründer der Volksschule. Leipzig 1877.

A. Pappenheim, Amos Comenius, der Begründer der neueren Pädagogik. Berlin 1871.

R. Rißmann, Das pädagogische System des Comenius. 8. Heft im 5. Bande der Sammlung pädagogischer Vorträge. A. Helmichs Buchhandlung, Bielefeld.

J. Friesenhahn, Worin stimmen die pädagogischen Anforderungen des Comenius mit den Anschauungen der Bakonischen Philosophie überein? Bericht des Progymnasiums zu Euskirchen 1892.

J. Witte, J. A. Comenius in seiner kulturgeschichtlichen Stellung und seiner historischen Bedeutung für die Entwicklung des Schulwesens, im besonderen der Volksschule. Ruhrort 1892.

B. Fragen und Aufgaben zur Vertiefung und Ergänzung.

I. Comenius' Leben.

1. Welche äußeren Ursachen machten Comenius zum pädagogischen Reformator?

2. Inwiefern waren die Zeitverhältnisse dem pädagogischen Wirken des Comenius günstig, inwiefern ungünstig?

3. Welche Züge im Charakter und in der Pädagogik des Comenius sind durch die Eigenart der „böhmisch=mährischen Brüder" bedingt worden?

4. Welche Stellung nahm Comenius zur Scholastik (zum Humanismus, zum Realismus) ein?

5. Der Zustand der Schulen z. Zt. des Comenius.

6. Von welchen Männern ist die Pädagogik des Comenius am wirksamsten beeinflußt worden?

7. Welche Orte machen Anspruch auf die Ehre, Geburtsort des Comenius zu sein? Was ist geschichtlich über seinen Geburtsort festgestellt?

8. Weise nach, inwiefern der Name „Amos" (Last) für das Leben des Comenius bedeutungsvoll ist!

9. Was ist über die Voreltern des Comenius bekannt?

10. Welche Bedeutung hat die traurige Jugendzeit des Comenius für sein späteres pädagogisches Wirken? Vergleiche ihn in dieser Beziehung mit Rousseau und Pestalozzi!

11. Wo erhielt Comenius die ersten Anregungen zu pädagogischen Arbeiten?

12. Welche Schriften verdanken dem Aufenthalt in der böhmischen Verbannung ihre Entstehung?

13. Der erste Aufenthalt in Lissa (1628—41) als Höhepunkt der pädagogischen Schriftstellerei des Comenius.

14. Inwiefern öffnete die Janua dem Comenius „das Tor zu den Völkern Europas?"

15. Welche Gründe veranlaßten Comenius zur Reise nach England und Schweden?

16. Inwiefern führte die Unterredung mit Oxenstierna eine Wendung im Leben und in den pädagogischen Arbeiten des Comenius herbei?

17. Die Einrichtungen der pansophischen Schule zu Saros Patak.

18. Welche wichtigen Schriften sind durch die praktische Tätigkeit des Comenius in Saros Patak veranlaßt worden?

19. Entstehung und Inhalt der „Sämtlichen didaktischen Werke", Opera didactica omnia 1657.

20. Welche Umstände machen den Glauben des Comenius an die „Weissagungen" der „Propheten" begreiflich?

21. Welchen Einfluß haben die chiliastischen Anschauungen auf die Pädagogik und Pansophie des Comenius ausgeübt?

22. Vergleiche das „Labyrinth der Welt" mit dem „Unum necessarium"!

23. Vergleiche die Grabschrift des Comenius mit der Pestalozzis!

24. Beschreibe Leben, Charakter und Wirken des Comenius im Anschluß an seine Grabschrift!

25. Wie erklärt sich die Entstehung ungünstiger Urteile über Comenius im 17. und 18. Jahrhundert?

26. Comenius als „Theolog des Kreuzes, als Prophet des Friedens".

27. Comenius als ein treuer Bischof der „Brüdergemeinde".

---

28. Wie ist das große Ansehen zu erklären, das Comenius seitens seiner Zeitgenossen genoß?

29. Welche ungünstigen Urteile fällten die Zeitgenossen über die Pädagogik des Comenius?

30. Vergleiche das Prinzip „Natur" bei Comenius und bei Rousseau!

31. Inwiefern ist Comenius auch der Vater des Philanthropinismus?

32. Ist die Bezeichnung Hoffmeisters, Comenius sei ein „objektiver" Pädagoge, gerechtfertigt?

33. Der Begriff der Anschauung bei Comenius und bei Pestalozzi.

34. Warum kann man die Pädagogik des Comenius als einen Versuch zur Lösung der „sozialen" Frage bezeichnen?

35. Welches sind die Ursachen für die Tatsache, daß die Pädagogik des Comenius 1½ Jahrhundert in Vergessenheit geriet?

36. Inwiefern ist die hohe Wertschätzung, die Comenius in der Gegenwart genießt, gerechtfertigt?

37. Welches sind die Gründe für die neuzeitliche Anerkennung des Comenius?

38. Welche Männer haben sich besonders um die „Auferstehung" des Comenius verdient gemacht?

39. Die Bedeutung der Comenius-Gedenktage (1871 und 1892).

40. Die Comeniusgesellschaft und ihre Ziele.

II. Comenius' Schriften.

41. Es sind die wichtigsten Schriften des Comenius zu gruppieren!

42. Die Bedeutung der „Physik" für die Pädagogik des Comenius!

43. Die Quellen der Erkenntnis nach Comenius und deren Bedeutung für seine Pädagogik.

44. Der Pantheismus in der Naturphilosophie des Comenius.

45. Die Lehre vom Menschen nach Kap. XI seiner „Physik".

46. Der Begriff „Natur" in der „Physik".

47. Welche pädagogischen Lehren sind als Konsequenzen der in der „Physik" vorhandenen philosophischen Anschauungen anzusehen?

48. Wesen, Zweck und Bedeutung der Pansophie nach dem Prodromus und der Dilucidatio.

49. Die Bedeutung der Pansophie für den „christlichen Humanismus".

50. Welche Schwierigkeiten stellen sich der Verwirklichung des in der Panegersie gezeichneten Ideals entgegen?

51. Warum mußten die pansophischen Bestrebungen des Comenius scheitern?

52. Kann man Comenius als einen Verfechter der Simultanschule ansehen?

53. Vergleiche die „Panegersie" des Comenius mit der „Abendstunde eines Einsiedlers" von Pestalozzi!

54. Inwiefern entspricht die pansophische Schule zu Saros Patak nicht den pansophischen Ideen des Comenius?

55. Welche Gedanken aus dem Fortius redivivus verdienen noch heute Beachtung?

56. Wie erklärt sich die überaus günstige Aufnahme der Janua?

57. Bedeutung und Mängel der Janua.

58. Der kulturgeschichtliche Wert der Schola ludus.

59. Die pädagogische Bedeutung der Schola ludus.

60. Gedankengang und Bedeutung der Vorrede zum Orbis pictus.

61. Vergleiche den Orbis pictus mit dem Elementarbuche Basedows.

62. Worauf gründet sich die hohe Wertschätzung des Orbis pictus?

---

63. Die Entstehungsgeschichte der Didactica magna.

64. Wie ist es zu erklären, daß die Did. magna bei den Zeitgenossen so wenig Anklang fand?

65. Welche (äußeren und inneren) Ursachen veranlaßten, daß die Did. magna lange Zeit vergessen wurde?

66. Das System der comenianischen Pädagogik nach der Didactica magna.

67. Ist die Didactica magna ein pädagogisches System oder eine pädagogische Enzyklopädie?

68. Das humanistische Prinzip in der Did. magna.

69. Die Bedeutung der „Ordnung" für die äußeren Einrichtungen der Schulen.

70. Wie beweist Comenius die Notwendigkeit der Schulen? Vergleiche ihn in dieser Hinsicht mit Luther!

71. Wie urteilen Comenius und Pestalozzi über die Schulen ihrer Zeit?

7*

72. Die Anschauungen des Comenius über das Ver=
hältnis von Leib und Seele.

73. Die Bedeutung des Comenius in der Geschichte
der Leibesübungen.

74. Welche der Erziehungs= und Unterrichtsgrundsätze
des Comenius haben bleibenden Wert?

75. Es ist nachzuweisen, inwiefern schon Comenius als
nächstes Ziel des Unterrichts das Interesse ansieht!

76. Der Grundsatz der Anschauung bei Comenius.

77. Wie begründet Comenius die Notwendigkeit der
sprachlichen Ausbildung? Vergleiche ihn in dieser Hinsicht
mit Luther!

78. Vergleiche die Begründung der sittlichen und reli=
giösen Bildung bei Comenius und Pestalozzi!

79. Beurteile die in Kap. XXVI der Did. magna
für die Schulzucht gegebenen Anweisungen!

80. Welche Schwierigkeiten stellen sich der Verwirk=
lichung des comenianischen Schulorganisationsplanes ent=
gegen?

81. Wie begründet Comenius die Notwendigkeit der
allgemeinen Volksschule?

82. Welche Anweisung gibt Comenius für die Ver=
wendung der Lehrbücher im Unterricht?

83. Vergleiche die in Kap. XXIX der Did. magna
für den Lehrplan der Volksschule geforderten Fächer mit
denen der „Allg. Bestimmungen“!

84. Die Bedeutung der Did. magna für die wissen=
schaftliche Pädagogik.

85. Abfassung und Zweck des Informatoriums der
Mutterschule.

86. Vergleiche die im Informatorium der Mutterschule
für die körperliche Pflege gegebenen Ratschläge mit denen
Rousseaus' und Salzmanns!

87. Vergleiche das Informatorium der Mutterschule
mit Pestalozzis Schrift „Wie Gertrud ihre Kinder lehrt“!

88. Der Begriff „Natur“ in dem „Ausgang“ aus den
Schullabyrinthen“.

89. Wie erklärt sich die überschätzung der natürlichen
Methode bei Comenius und Pestalozzi?

90. Inwiefern ist die Vergleichung der Unterrichts=
methode mit einer Buchdruckerpresse richtig, inwiefern falsch?

III. Comenius' Bedeutung.

91. Nach welchem Maßstab muß man die Pädagogik
des Comenius beurteilen, um sie in ihrer Bedeutung weder
zu überschätzen noch zu unterschätzen?

92. Die Theologie des Comenius und ihre Bedeutung
für seine Pädagogik.

93. Des Comenius Lehre über die Erbsünde und ihre
Bedeutung für seine pädagogische Theorie.

94. Vergleiche die Ansichten von Comenius und Rous=
seau, A. H. Francke und Pestalozzi über die natürliche Be=
schaffenheit des menschlichen Geistes nach dem Sündenfalle.

95. Warum kann der Vers: „Omnia sponte fluant,
absit violentia rebus" als ein Motto der comenianischen
Pädagogik bezeichnet werden?

96. Die scholastischen Anschauungen des Comenius und
ihre Bedeutung für seine Pädagogik.

97. Inwieweit zeigt sich die comenianische Pädagogik
durch die realistische Philosophie beeinflußt?

98. Welche verwandten Züge zeigt die Pädagogik des
Comenius und die des Basedow?

99. Worin zeigt sich die dem Begriffe „Natur" bei
Comenius mangelnde Klarheit?

100. Vergleiche den Begriff „Natur" bei Comenius
und Rousseau (bei Comenius und Pestalozzi oder bei Come=
nius, Rousseau und Pestalozzi)!

101. Das Verhältnis von Natur und Kunst zueinander
nach Comenius und dessen Bedeutung für seine Pädagogik.

102. Weise nach, welche Entwickelung die pansophischen
Ansichten des Comenius im Laufe der Zeit erfahren haben!

103. Inwiefern dient die Kenntnis der Pansophie zum
besseren Verständnis der Pädagogik des Comenius?

104. Mängel und Widersprüche in der Pansophie des
Comenius.

105. Wie bestimmt Comenius das Verhältnis der
Menschenseele zur Pflanzen= und Tierseele?

106. Wie unterscheidet Comenius Körper, Seele und Geist?

107. Welche richtige Ansicht liegt der Physiologie des Comenius zugrunde?

108. Wesen und Einteilung der seelischen und geistigen Kräfte.

109. Die Bedeutung des Begriffes „Harmonie" für die Ethik des Comenius.

110. Die intellektualistische Ethik des Comenius und ihre pädagogische Bedeutung.

111. Welche Vorzüge und Mängel der comenianischen Pädagogik sind die Konsequenzen seiner eklektischen Philosophie?

112. Der Begriff „Erziehung" nach Comenius.

113. Inwiefern kann man sagen, daß Comenius den Satz vom erziehenden Unterricht vertritt?

114. Die naturphilosophische Grundlage des comenianischen Prinzips „Natur".

115. Warum glaubte Comenius berechtigt zu sein, die äußere Natur zur Grundlage seiner Unterrichtsmethode zu machen?

116. Worin liegt der hohe Wert der comenianischen Schulorganisation?

117. Ist der Vorwurf (des Schulmannes Schiller) berechtigt, daß Comenius durch seinen Orbis pictus die Schule 1½ Jahrhundert von der wirklichen Anschauung ferngehalten habe?

120. Comenius über die Würde des Lehramtes.

121. Wie begründet Comenius seine Forderung, daß die Lehrer angemessen zu besolden seien?

122. Ist Comenius der Begründer der wissenschaftlichen Pädagogik?

123. Warum ist es zu bedauern, daß die allgemeine Volksschule nicht in dem Sinne des Comenius sich verwirklicht hat?

124. Comenius als Begründer der realistischen Pädagogik.

125. Die Bedeutung des comenianischen Grundsatzes vom Parallelismus der Worte und Sachen.

126. Der Begriff der „Konzentration" bei Comenius.

127. Die Bedeutung der christlichen Pädagogik des Comenius für die Entwickelung der deutschen Volksschule.

128. Die wichtigsten Mängel der comenianischen Unterrichtslehre.

129. Die Mängel der Erziehungslehre des Comenius.

130. Vergleiche das pädagogische System des Comenius mit dem Herbarts!